| | | | |
|---|---|---|---|
| 1735 | Retour en France. Il devient aumônier du prince de Conti. | Rousseau aux Charmettes. La Chaussée : *le Préjugé à la mode*. Marivaux : *la Mère confidente*. | Préliminaires de paix entre l'Autriche et la France pour régler la succession de Pologne. |
| 1740 | *Le Doyen de Killerine*. | Voltaire à Berlin. Richardson : *Pamela*. | Invasion de la Silésie par Frédéric II. |
| 1741 | *Histoire d'une Grecque moderne*. | Nivelle de La Chaussée : *Mélanide*. D. Hume : *Essais moraux et politiques*. Goldoni : *la Femme de tête*. | Déclaration de guerre de la Suède à la Russie. |
| 1746 | Il entreprend l'*Histoire générale des voyages*. | Voltaire à l'Académie française. Diderot : *Pensées philosophiques*. Condillac : *Essai sur l'origine des connaissances humaines*. | Prise de Bruxelles par les Français. Mort de Philippe V d'Espagne. Prise de Madras par La Bourdonnais. |
| 1751 | Traduction de *Clarisse Harlowe* et *Grandison*. | Voltaire : *le Siècle de Louis XIV*. Premier volume de l'*Encyclopédie*. | Accord provisoire entre la France et l'Angleterre sur l'Acadie. |
| 1753 | Publication à Amsterdam de *Manon Lescaut*, avec corrections et additions. | J.-J. Rousseau : *le Devin de village*. L'*Histoire naturelle* de Buffon et l'*Encyclopédie* continuent à paraître. | Conflit entre le parlement et le pouvoir royal au sujet des billets de confession. |
| 1754 | Pourvu d'un bénéfice par le pape, Prévost est chargé d'écrire l'histoire des Condé. | Montesquieu : *Lysimaque*. Condillac : *Traité des sensations*. Gabriel commence la construction de la place Louis-XV. | Dupleix quitte l'Inde. |
| 1763 | 25 novembre, mort de Prévost dans la forêt de Chantilly. | Mort de Marivaux. Voltaire : *Traité sur la tolérance*. | Traité de Paris, qui termine la guerr de Sept Ans. |

# BIBLIOGRAPHIE


## ÉDITIONS MODERNES DE « MANON LESCAUT »

R. Étiemble — dans *les Romanciers du XVIII^e^ siècle* (texte de 1753) [Paris, la Pléiade, 1949].

G. Matoré — *Manon Lescaut* (texte de 1731) [Genève, Droz, 1953].

F. Deloffre et R. Picard — *Manon Lescaut* (texte de 1753) [Paris, Garnier, 1965].

## SUR « MANON » ET L'ABBÉ PRÉVOST

J. Cocteau — *Manon,* article paru dans la *Revue de Paris* (octobre, 1947).

J. Sgard — *Prévost romancier* (Paris, Corti, 1968).

A. Billy — *l'Abbé Prévost, auteur de « Manon Lescaut »* (Paris, Flammarion, 1969).

J. L. Jaccard — *Manon Lescaut* (Paris, Nizet, 1975).

# CLASSIQUES LAROUSSE

Collection fondée en 1933 par FÉLIX GUIRAND
continuée par
LÉON LEJEALLE (1949 à 1968) et JEAN-POL CAPUT (1969 à 1972)
*Agrégés des Lettres*

## L'ABBÉ PRÉVOST

# MANON LESCAUT

avec une Notice biographique, une Notice historique et littéraire,
un Lexique, des Notes explicatives,
une Documentation thématique, des Jugements,
un Questionnaire et des Sujets de devoirs,

par

DANIÈLE ACHACH
*Agrégée de l'Université*

LIBRAIRIE LAROUSSE
17, rue du Montparnasse, 75298 PA

## RÉSUMÉ CHRONOLOGIQUE DE LA VIE DE L'ABBÉ PRÉVOST

## 1697-1763

**1697** — Naissance à Hesdin, le 1er avril, dans l'Artois, d'Antoine François Prévost, second d'une famille qui devait compter cinq garçons. Son père, Liévin Prévost, est procureur au bailliage d'Hesdin.

1711 — A la mort de sa mère, Antoine François est envoyé au collège d'Hesdin, tenu par des Jésuites.

**1712** — Il quitte le collège pour l'armée, où il sert jusqu'à la paix d'Utrecht, conclue en avril 1713.

1713 — On croit qu'il retourne alors chez les Jésuites, bien qu'aucun registre ne conserve la trace de son passage chez les RR. PP. à cette époque.

1714 — Prévost séjourne chez les Jésuites de La Flèche.

1716 — Il quitte de nouveau les Jésuites pour retourner dans l'armée.

1717 — Prévost est admis comme novice chez les Jésuites à Rouen.

1718 — Prévost, après, semble-t-il, un bref séjour dans l'armée, passe en Hollande, quelque intrigue amoureuse sur laquelle on a peu de renseignements paraissant être la cause de cet exil.

1719 — Décidant de retourner dans les ordres et refusé par les Jésuites, Prévost est admis chez les Bénédictins de l'abbaye de Saint-Wandrille, près de Rouen.

**1721** — Prévost prononce sa profession de foi à l'abbaye bénédictine de Jumièges, le 9 novembre. A partir de cette date, il se met à étudier la théologie et débute dans la littérature avec un pamphlet non signé dirigé contre le Régent : *les Aventures de Pomponius, chevalier romain, ou l'Histoire de notre temps.*

1726 — Consacré prêtre par Mgr Sabathier, évêque d'Amiens, il prêche pendant un an à Evreux, où son éloquence est très appréciée.

1727 — Prévost est envoyé à Séez, près de Paris, au monastère des Blancs-Manteaux, enfin à Saint-Germain-des-Prés, où il participe à la rédaction d'un ouvrage d'érudition historique, la *Gallia christiana*.

**1728** — Le manuscrit contenant les deux premiers livres de ce qui sera les *Mémoires d'un homme de qualité* reçoit l'approbation des autorités (5 avril), et Prévost poursuit la rédaction des deux volumes suivants, qui se verront accorder l'approbation le 19 novembre 1728. Prévost, que des dissensions ont opposé à ses supérieurs, quitte clandestinement l'abbaye (18 octobre), puis, devant le danger des représailles, passe en Angleterre (6 novembre), où il devient le précepteur du jeune Francis Eyles, fils de l'ancien directeur de la Banque d'Angleterre.

1730 — Obligé de quitter l'Angleterre (octobre) à la suite d'une affaire compromettante, Prévost passe en Hollande, et séjourne d'abord à Rotterdam, puis à La Haye. C'est à cette époque qu'il écrit les quatre volumes de son *Cleveland* et entame la traduction de l'*Histoire du président de Thou*, commandée par un éditeur de La Haye.

**1731** — Achèvement et publication de ***Cleveland.***

1733 — En janvier, à la suite de démêlés avec son éditeur, Prévost passe de nouveau en Angleterre.


ISBN 2-03-870134-2

Le 17 juin, l'éditeur Didot obtient le privilège de faire paraître à Paris le journal *le Pour et le Contre*, fondé et dirigé par Prévost. Cette même année paraissent les tomes suivants des *Mémoires d'un homme de qualité;* publiés à Amsterdam, ils sont ensuite introduits en France.

**1735** — ***Manon Lescaut*** est saisi chez les libraires français en juillet : Prévost rentre en France et obtient sa réintégration chez les Bénédictins. Assigné à résider à l'abbaye de La Grenetière, près de Nantes, il arrive à se soustraire à cette retraite grâce à la protection du prince de Conti, qui l'attache à sa personne.

1736-1737 — Nouveau séjour en Hollande.

1737 — Nouvelles éditions de *Manon Lescaut* à Amsterdam.

1738 — Publication de la suite de *Cleveland* (livres VIII à XI), puis livres XII à XV en 1739, chez Neaulme à La Haye.

1739-1740 — Parution, également à La Haye, échelonnée sur deux années, des différents tomes du *Doyen de Killerine.*

1740 — Publication par Prévost de l'*Histoire de Marguerite d'Anjou, reine d'Angleterre.*

1741 — Parution de l'*Histoire d'une Grecque moderne*, des *Mémoires pour servir à l'histoire de Malte ou Histoire de la jeunesse du commandant* et des *Campagnes philosophiques de Monsieur de Montral.*

1742-1743 — Prévost se retire dans sa famille; à partir de 1743, début de la parution chez Didot de l'*Histoire de Cicéron*, traduite de l'anglais. Traduction de *Pamela*, de Richardson.

1744 — Publication de diverses traductions de récits de voyages.

1746 — Traduction de l'*Histoire générale des voyages*, qui restera inachevée.

1746 à 1750 — Prévost travaille à de nombreuses traductions de l'anglais, notamment les romans *Clarisse Harlowe* et *Grandison.*

**1753** — Correction et réédition de *Manon Lescaut.*

1754 — Prévost est pourvu par le pape Benoît XIV d'un bénéfice, celui du prieuré de Saint-Georges-de-Gesne, dans le diocèse du Mans.

1759 — Prévost abandonne l'*Histoire générale des voyages* après la publication du tome XV, travaille à plusieurs traductions, entreprend même une dernière grande œuvre, *le Monde moral*, ouvrage romancé, interrompu par la mort.

**1763** — Mort de Prévost à Chantilly (25 novembre). On l'a trouvé, selon l'acte de l'état civil, « au lieu dit de la Croix de Courteuil, sur le territoire de cette paroisse, expirant et frappé d'un coup de sang ».

*L'abbé Prévost avait vingt-neuf ans de moins que Lesage; neuf ans de moins que Marivaux; huit ans de moins que Montesquieu; trois ans de moins que Voltaire; quinze ans de plus que Rousseau; seize ans de plus que Diderot.*

# PRÉVOST ET SON TEMPS

| | la vie et l'œuvre de Prévost | le mouvement intellectuel et artistique | les événements historiques |
|---|---|---|---|
| 1697 | Naissance, à Hesdin, d'Antoine François Prévost (1er avril). | Malebranche : *Traité de l'amour de Dieu*. Fénelon : *Explication des maximes des saints*. Ch. Perrault : *Contes de ma mère l'Oye*. Regnard : *le Distrait*. | Traité de Ryswick : fin de la guerre de la ligue d'Augsbourg. |
| 1713 | Retour chez les Jésuites après un premier séjour dans l'armée. | Destouches : *l'Irrésolu*. Succès à Londres du *Caton* d'Addison. Découverte des ruines d'Herculanum. | Traité d'Utrecht : fin de l'hégémonie française en Europe. Bulle *Unigenitus*, contre le jansénisme. |
| 1720 | Premier séjour en Hollande, puis entrée chez les Bénédictins de Saint-Wandrille. | Marivaux : *Annibal*, tragédie; *Arlequin poli par l'amour*. Traduction française de *Robinson Crusoe* de Daniel Defoë. | Law, contrôleur général des Finances (janvier) : faillite de son système (juillet). |
| 1726 | Prévost est ordonné prêtre, puis vient à Paris au monastère de Saint-Germain-des-Prés. | Querelle de Voltaire avec le chevalier de Rohan. Rollin : *Traité des études*. Ouverture du salon de Mme de Tencin. | Fleury, Premier ministre. Politique pacifique de la France. |
| 1728 | Prévost passe en Angleterre après s'être enfui de l'abbaye de Saint-Germain-des-Prés. | Voltaire : *la Henriade*. Marivaux : *la Seconde Surprise de l'amour*. J.-J. Rousseau à Turin. | Début du règne de George II en Grande-Bretagne. Découverte du détroit de Béring. |
| 1731 | Parution à Amsterdam des *Mémoires d'un homme de qualité*, contenant l'épisode de *Manon Lescaut*. Parution des premiers tomes de *Cleveland*. | Marivaux : début de *la Vie de Marianne* (roman). Voltaire : *Histoire de Charles XII*. Mort de Daniel Defoë. | Traités de Vienne, entre l'Autriche, d'une part, l'Espagne et l'Angleterre d'autre part. |
| 1733 | Il fonde *le Pour et le Contre*. L'*Histoire de Manon Lescaut* est réimprimée à Rouen. | Voltaire : *le Temple du goût*. Pope : *Essai sur l'homme*. Rameau : *Hippolyte et Aricie*. | Établissement en France de l'impôt du dixième. Traité franco-piémontais de Turin; premier pacte de famille. |

# MANON LESCAUT
# 1731

## NOTICE

### CE QUI SE PASSAIT VERS 1731

■ **EN POLITIQUE. *A l'intérieur :*** *L'ancien précepteur du roi Louis XV, le cardinal Fleury, est Premier ministre. Il pratique avec le contrôleur général Orry — après la banqueroute de Law — une politique d'économies. Déclaration royale imposant au clergé la bulle* Unigenitus. *La colonisation se développe en Louisiane depuis 1717.*

***A l'extérieur :*** *Aux Indes, Dupleix est gouverneur à Chandernagor. En Angleterre, Walpole est résolu, comme Fleury, à maintenir la paix. La prédication de Wesley commence à endiguer une crise d'irréligion et de vice. Un accord franco-espagnol (1729) favorise l'essor des deux peuples. En Russie, règne d'Anna la Sanglante.*

■ **EN LITTÉRATURE.** *Montesquieu revient d'Angleterre. Voltaire publie l'*Histoire de Charles XII, *puis* Zaïre *(1732). Lesage publie* Don Guzman *et prépare le tome IV de* Gil Blas. *Marivaux commence la* Vie de Marianne. *Salon de Mme de Lambert. Réédition du* Roman de la Rose *(1735).*

■ **DANS LES SCIENCES ET LES ARTS.** *Le thermomètre de Réaumur. Premiers travaux de Buffon. Lancret disciple de Watteau. Débuts de Boucher. Chardin maître dans le genre familier, Quentin de La Tour dans le pastel. Musique de clavecin par Couperin. A Londres, derniers opéras de Hændel.*

### PUBLICATION ET SUCCÈS

L'*histoire de Manon Lescaut* occupe le tome VII de l'œuvre maîtresse de l'abbé Prévost : les *Mémoires d'un homme de qualité qui s'est retiré du monde*. L'ouvrage, dont les premiers tomes avaient paru à Paris, est publié pour la première fois dans son ensemble à Amsterdam en mai 1731. La même année, deux éditions des *Mémoires* paraissent en France, l'une complète, l'autre amputée du tome VII, rejeté, sans doute par crainte de la censure. Le succès est alors honorable, sans plus; d'ailleurs, l'épisode ne se détache pas, aux yeux des contemporains, de l'ensemble de l'œuvre, et les critiques ne lui réservent pas un sort particulier; il faut voir sans doute dans l'indifférence relative des lecteurs la marque de la prévention qui existait à cette époque contre le genre romanesque lui-même. Cependant, la qualité particulière de cette partie de l'ouvrage n'échappe pas à certains observateurs pertinents. (Voir Jugements.)

Deux ans plus tard, en juin 1733, le tome VII est édité à part sous le titre : *Aventures du chevalier des Grieux et de Manon Lescaut*. Le roman connaît alors un grand succès, et Prévost, qui vient de fonder son journal *le Pour et le Contre*, la notoriété. Cette faveur du public inquiète les autorités, qui, choquées par l'immoralité du roman, font saisir des exemplaires chez les libraires. Aucune sanction — cependant — n'est prise contre l'auteur. Après la flambée d'enthousiasme qui a salué sa parution, l'ouvrage connaît un oubli relatif. Sans doute il fait son chemin, et, fait remarquable, dans un écrit de 1744, c'est par la périphrase « l'auteur de Manon Lescaut » que l'abbé Prévost se trouve désigné.

En 1753, une nouvelle édition de *Manon* paraît. L'auteur y a apporté de nombreuses modifications de détail visant à plus de clarté, de précision ou d'élégance dans l'expression, et, surtout, il a rajouté l'épisode du prince italien. Cependant, ni cette édition ni la mort de Prévost en 1763 ne parviennent à imposer ce roman, que les contemporains placent au-dessous d'autres œuvres de son auteur : *Cleveland* ou *le Doyen de Killerine;* les jugements des critiques d'alors, d'ailleurs, même quand ils sont favorables à *Manon*, sont rarement pertinents, et l'on doit attendre la fin du siècle pour que se manifeste une véritable intelligence de cette œuvre et de son exceptionnelle beauté.

La Harpe, dans le *Lycée*, montre le premier (1796) la supériorité de *Manon Lescaut* sur les autres œuvres de Prévost; tous les romantiques aimeront Manon Lescaut, en qui ils reconnaîtront, à tort, une préfiguration du mythe de la courtisane réhabilitée par un grand amour et une grande douleur.

Cette œuvre, devenue classique, a connu de nombreuses rééditions. Il n'est que de citer celles que présentèrent Anatole France, Guy de Maupassant, André Thérive, etc. La plus récente est une édition critique d'une grande solidité, établie par MM. Deloffre et Picard, conforme au texte de 1753, et c'est le texte qu'elle présente que nous avons suivi.

## ANALYSE DU ROMAN

Les *Mémoires d'un homme de qualité qui s'est retiré du monde* racontent les aventures d'un certain marquis à travers l'Europe. Retenu captif en Turquie, il s'y marie, vient à Rome, perd sa femme, entre au couvent de désespoir, en sort sur les instances d'un duc qui lui demande de guider son fils dans de nouveaux voyages. Selon le procédé dit « à tiroirs », propre au roman picaresque, chaque personnage raconte son histoire, chaque rencontre suscite un petit roman. L'événement qui amène l'épisode de Manon Lescaut est la rencontre faite par l'homme de qualité à Passy (Pacy-sur-Eure) d'un jeune inconnu qui accompagnait, avec toutes les marques du plus profond désespoir, sa maîtresse honteusement associée à un misérable convoi de filles perdues qu'on déportait en Amérique. Ce jeune homme, que le marquis retrouve par hasard deux ans plus tard, lui fait alors le récit de ses malheurs, et ce récit constitue le roman.

**L'histoire du chevalier des Grieux et de Manon Lescaut. Le coup de foudre.**

Des Grieux, jeune cadet de famille noble que sa naissance et ses hautes qualités intellectuelles et morales destinaient à l'ordre de Malte, achevait sa philosophie à Amiens et était sur le point de regagner pour la période des vacances la maison paternelle, lorsque, la veille de son départ, il rencontre dans l'auberge où il loge une jeune personne, Manon, dont la beauté l'éblouit, et qui inspire aussitôt à son cœur naïf et romanesque un invincible amour. Celle-ci est accompagnée d'un « vieil Argus » qui a pour mission de la conduire au couvent. Elle persuade bien vite le jeune chevalier de l'enlever et de prendre la fuite avec elle. Déjà sous l'empire de cet amour qui vient de naître, des Grieux, sourd aux objurgations de son fidèle ami Tiberge qui tente de le ramener à la raison, quitte l'auberge à son insu, au petit matin, en emmenant Manon.

**Première trahison.**

Les deux jeunes gens s'installent à Paris, où ils commencent par goûter un tranquille bonheur; mais au bout de quelques jours des Grieux s'inquiète des relations que Manon semble entretenir avec M. de B..., riche fermier général. De plus en plus inquiet et après avoir laborieusement échafaudé des explications qui innocentent la vertu de Manon, des Grieux décide de faire part de ses craintes le soir même, au cours du dîner, à Manon. Avant même qu'il ait parlé, Manon s'éclipse et, à cet instant, des laquais se saisissent de Des Grieux, le jettent dans un carrosse où il trouve son propre frère, qui lui explique qu'il est chargé par son père de le ramener à Amiens. Après avoir formé mille conjectures sur l'origine des informations de son père à son sujet, des Grieux a la douleur d'apprendre que c'est Manon elle-même qui a prié M. de B... de l'avertir de l'endroit où se trouvait son fils.

Des Grieux, déçu, s'abandonne au désespoir, puis peu à peu l'apaisement lui vient, et il s'adonne à la méditation et à l'étude. Les visites de Tiberge lui sont d'un grand secours et, au bout de quelques mois, il décide de le rejoindre à Paris, au séminaire de Saint-Sulpice, pour embrasser l'état ecclésiastique.

**La nouvelle chute.**

Des Grieux passe une année à Saint-Sulpice, où ses bonnes qualités naturelles, son application à l'étude lui valent d'être brillamment remarqué, et bientôt il soutient un exercice public de théologie. A la fin de la séance, Manon, qui y avait assisté sans être vue, le fait demander au parloir. La seule vue de sa maîtresse révèle au séminariste la fragilité de la victoire qu'il croyait avoir remportée sur lui-même. Il lui fait un nouvel aveu de sa passion, pardonne ses torts à Manon sans même écouter ses justifications et décide de s'évader de Saint-Sulpice pour retourner vivre avec elle.

**Les premiers désordres.**

Les deux amants s'installent à Paris, à Chaillot, où leur bonheur semble d'abord assuré; mais bientôt apparaît dans leur existence le frère de Manon, le garde du corps Lescaut, personnage brutal et sans scrupule qui va devenir leur âme damnée. Précisément la fortune de Des Grieux — en fait ce que Manon a amassé au cours de sa liaison avec M. de B... — leur est dérobée; le chevalier prend alors conscience que jamais il ne gardera Manon s'il ne peut assurer la vie luxueuse et facile qu'elle aime à cette créature incapable de sacrifice par amour; à la fois par peur de perdre Manon, par refus des profits crapuleux, par goût de la facilité, des Grieux songe à rétablir sa fortune au jeu. Lescaut, consulté, lui dit qu'il n'y parviendra que s'il accepte de tricher et lui propose de le présenter à une association de tricheurs professionnels; des Grieux refuse d'abord, cherche une aide du côté de Tiberge, qui ne lui est pas d'un grand secours par les quelques pistoles qu'il lui donne, et finit par solliciter lui-même de Lescaut, malgré sa répugnance, d'être introduit dans le cercle des tricheurs. L'effet est immédiat, et Manon et des Grieux retrouvent bien vite le train de vie confortable qui assure les plaisirs de Manon et, partant, sa fidélité.

**Le greluchonnage.**

Nouveau coup de théâtre; par la malhonnêteté de leurs domestiques, Manon et des Grieux voient de nouveau leur fortune s'évanouir. Lescaut suggère à des Grieux, pour sortir de ce mauvais pas, des solutions qui heurtent le caractère scrupuleux du jeune homme; puis, profitant d'une absence du chevalier, il encourage Manon à se procurer de l'argent en accordant ses faveurs au vieux G... M... A son retour, des Grieux trouve une lettre où Manon l'avertit de sa décision, qu'elle présente comme une marque de son amour pour lui. Lescaut lui donne des précisions sur la situation, lui montre cyniquement tous les avantages qu'elle présente pour lui, et peu à peu, sans grande résistance, des Grieux finit par accepter le rôle qu'on lui fait jouer. Il doit retrouver Manon dans la maison que le vieux G... M... a louée pour elle; là il se fera passer pour son jeune frère aux yeux de M. de G... M..., qui doit y venir dîner. Lorsqu'il revoit Manon, des Grieux lui fait part de son chagrin; celle-ci, navrée, lui propose de ne pas aller rejoindre M. de G... M... après le dîner, mais de s'enfuir avec lui en emportant les présents du vieillard. Heureux d'échapper (par hasard) à l'infamie, des Grieux accepte et tout se déroule comme prévu. Malheureusement, le vieux G... M... s'aperçoit bien vite qu'il est dupé, retrouve la trace des deux jeunes gens et les fait jeter en prison, des Grieux à Saint-Lazare et Manon à l'Hôpital.

**Évasions.**

Décidé à s'évader à tout prix, des Grieux se procure par Lescaut un pistolet (dont il a soin de préciser qu'il ne doit pas être chargé) destiné à intimider le supérieur et à l'obliger par surprise à lui ouvrir la porte de la prison, une nuit qu'il sera venu le chercher dans sa cellule. Ce plan réussit partiellement; en effet, au dernier moment, à l'instant même où le supérieur va ouvrir la porte, un domestique surgit inopinément; des Grieux, pris de peur, appuie sur la détente du pistolet et tue l'homme, car l'arme était chargée. Des Grieux se retrouve libre, mais meurtrier. Dans les jours qui suivent, des Grieux se préoccupe d'organiser l'évasion de Manon; pour cela il gagne la sympathie du fils de l'administrateur de l'Hôpital, qui l'introduit auprès de Manon. Là, les retrouvailles des deux amants constituent une scène touchante qui émeut tous les témoins, et en particulier un valet qui propose à des Grieux de l'aider à organiser la fuite de Manon.

Des Grieux, avec la complicité du valet, enlève donc Manon. Enlèvement qui s'accompagne de multiples émotions, d'incidents tantôt cocasses, tantôt tragiques, comme le meurtre de Lescaut par un truand qui survient au moment où les deux amants le retrouvent. Il semble qu'à chaque instant leur succès soit compromis.

**Les nouveaux désordres.**

Le bonheur renaît pour les deux amants dans leur maison de Chaillot, où ils s'installent de nouveau. Par chance, les deux meurtres qui ont marqué leur évasion — celui du domestique et celui de Lescaut — n'auront pas de conséquences pour eux, et tout semble aller pour le mieux lorsque le hasard vient encore troubler leur quiétude. Le fils de M. de G... M..., mis en présence du couple, s'éprend de Manon. Contrairement à ce qu'espérait des Grieux, Manon ne résiste pas à la générosité des offres de son nouveau soupirant, accepte de vivre avec lui et en avertit des Grieux dans une lettre cruelle. Elle justifie ingénument sa conduite par l'ampleur des bienfaits dont la comble le jeune homme, bienfaits qui ne pourront que rejaillir sur son cher chevalier. Ulcéré par cette lettre, des Grieux, désespéré, ne sait cependant pas renoncer à son amour; il rencontre Manon dans l'hôtel qu'a loué pour elle le jeune G... M...; une scène violente les oppose. Manon, désolée par le chagrin que manifeste des Grieux et dont elle ne comprend pas la cause, décide d'abandonner M. de G... M..., non sans avoir dupé le fils comme elle a voulu duper le père. Et cette nouvelle friponnerie conduit encore les deux héros en prison.

### Nouvel emprisonnement.

La détention des deux amants n'est pas très dure; le vieux G... M..., indulgent à l'égard de Des Grieux, le fait libérer sur les instances de son père; cependant les deux pères, d'un commun accord, intriguent pour obtenir la déportation de Manon en Amérique.

Mis au désespoir par cette situation et devant l'impossibilité de faire aboutir une autre solution, des Grieux décide de faire attaquer par trois braves et un garde du corps le convoi de filles dont Manon va faire partie.

### La métamorphose de Manon.

Mais des Grieux est victime de la lâcheté de ses acolytes, qui, effrayés à la première réaction de défense des archers convoyeurs, prennent la fuite. Le chevalier, alors, s'abandonnant à sa malchance, sollicite des archers la permission de se joindre au sinistre convoi et de s'embarquer avec Manon. Celle-ci, toute bouleversée par l'attitude de Des Grieux, semble prendre brusquement conscience du sens de sa passion pour elle. Cela se confirme au cours de la traversée où les amants s'accablent l'un l'autre de marques d'affection. Malgré l'âpreté et la rusticité des conditions de vie qu'ils trouvent en Amérique, ils y goûtent un bonheur sans nuage, tout fait de la joie d'être l'un près de l'autre, puisant dans leur amour l'énergie de supporter toutes les difficultés matérielles de leur vie.

### Le calvaire américain.

C'est alors que Manon et des Grieux décident, pour rendre plus parfait leur bonheur, de le sanctifier par le mariage. Cette décision et les démarches qu'elle implique conduisent des Grieux à révéler au gouverneur que Manon et lui-même n'étaient pas mariés, comme tout le monde le croyait. Mais le gouverneur, dont le neveu Synnelet était épris de Manon, voit dans l'aveu de Des Grieux la possibilité pour son neveu de l'épouser. Décidé à empêcher le mariage des deux héros, il est sourd à toutes les sollicitations du chevalier, qui sort de chez lui désemparé et rencontre précisément Synnelet. L'entretien aboutit à un duel où des Grieux laisse Synnelet mort sur le terrain. Terrorisé par son geste, effrayé à l'idée des représailles, il décide de fuir vers les colonies anglaises, emmenant Manon qui l'a supplié de lui laisser partager son mauvais sort. La route est dure, la nature hostile et désolée : les deux amants, malgré leur abattement, rivalisent de tendresse l'un pour l'autre, jusqu'au moment où, à bout de forces, Manon meurt d'épuisement dans les bras de Des Grieux; celui-ci, qui ne veut d'abord pas croire à ce malheur qui le frappe, ensevelit pieusement sa maîtresse et s'évanouit sur sa tombe.

L'*épilogue* souligne avec ironie à quel point les personnages ont été les jouets du sort. En réalité Synnelet n'était pas mort, mais seulement blessé, et dès qu'il a été relevé il a fait chercher des Grieux pour se réconcilier avec lui et lui dire qu'il renonçait à Manon. Mais, trop tard! le chevalier avait déjà pris la fuite. Retrouvé sans connaissance près du corps de Manon, il est d'abord accusé de s'en être débarrassé; son procès est instruit, et il obtient sa grâce par le témoignage de Synnelet. Puis il rentre en France escorté par le bon Tiberge, que sa fidèle amitié a conduit jusqu'à La Nouvelle-Orléans, et c'est fraîchement débarqué qu'il fait son récit à l'homme de qualité.

## LES SOURCES DE *MANON*

Dès la parution de *Manon,* les contemporains ont voulu reconnaître, derrière la fiction romanesque, des personnes connues à l'époque. La présence dans le roman d'initiales, pour désigner certains personnages, incitait à ce jeu d'identification; certains critiques d'alors, tel celui du *Journal de la Cour et de Paris,* s'insurgent contre une œuvre « qui fait jouer à des gens en place des rôles peu dignes d'eux ».

Il faut attendre cependant la fin du XIXe siècle pour voir les premières tentatives (érudites?) de déchiffrement des « clefs » de *Manon.* Les chercheurs qui se sont penchés sur ce problème ont abouti à certaines conclusions intéressantes : il semble qu'il faille voir dans le prince de R... François II Racokzy, prince de Transylvanie; dans M. de G... M..., le baron Élizée Gilly de Montaud, fermier général en 1720 et chargé précisément de la Louisiane, ce qui expliquerait son rôle dans la déportation de Manon. Quant à M. de T..., il serait le fils de Charles de Trudaine, qui devint, vers 1720, administrateur de l'Hôpital.

Mais pour les personnages principaux aucun indice ne permet d'en découvrir le modèle, si tant est qu'ils en aient eu un; on trouve bien un chevalier des Grieux né en 1690 à Lisieux, mais il n'y a rien d'analogue entre son destin et celui du héros, et même si Prévost a pu penser à lui, il ne lui a emprunté que son nom. Cependant, on trouve, dans la petite histoire, des anecdotes dont Prévost a pu avoir connaissance et qui lui ont peut-être inspiré l'intrigue de son roman.

L'aventure américaine de Manon et des Grieux rappelle celle d'un certain René du Tremblier qui s'embarqua avec sa maîtresse à destination du Biloxi. Là ils se firent passer pour mariés, mais le gouverneur découvrit leur imposture.

Autre source possible, l'histoire de Manon Aydon. Cette jeune fille était née en 1707 de la liaison de sa mère, femme bien née mais à l'existence tumultueuse, avec un échappé des galères; dès qu'elle eut douze ans, sa mère la lança dans la galanterie, et un certain Louis-Antoine de Viautaix, ancien mousquetaire, fils d'un conseiller au présidial de Besançon, devint son protecteur en titre. Or, sur la requête de son grand-père qui voyait avec inquiétude sa petite-fille associée aux mauvais coups du personnage sans scrupule qu'était

Viautaix, Manon Aydon est enfermée — à quatorze ans — à la Salpêtrière, et mise ainsi à l'abri des désordres qui la guettaient. Mais Viautaix, ne pouvant se résigner à la perte de sa maîtresse, fait une tentative pour l'arracher à l'Hôpital en reprenant un projet de mariage qu'il avait formé naguère et dont il fait part au grand-père, espérant que dans ces conditions il interviendra pour faire libérer Manon. Ses démarches restent vaines et Viautaix finit par quitter Paris, renonçant pour toujours à sa maîtresse, qui ne sortira de l'Hôpital qu'en 1731. Outre la similitude de leur prénom, la « fille » Aydon et Manon Lescaut représentent bien le même type social; quant à l'attitude de Viautaix à l'égard de sa maîtresse emprisonnée, elle n'est pas sans analogie avec celle de Des Grieux à l'égard de Manon; cependant, rien dans la connaissance qu'il a pu avoir de cette anecdote ne fournissait à Prévost la matière de la riche peinture psychologique qu'il brosse dans son roman.

C'est pourquoi les critiques se sont penchés avec plus d'attention sur les événements autobiographiques susceptibles d'avoir inspiré l'abbé Prévost; mais ces tentatives se sont heurtées à l'insuffisance de la documentation dont on dispose sur sa vie. Sans doute on sait que c'est une affaire de cœur qui l'éloigne d'Angleterre, mais la méconnaissance qu'on a de cette intrigue empêche de voir quel rôle elle peut avoir dans la genèse du roman. On a des renseignements plus précis sur l'aventure qui a marqué son séjour en Hollande. On sait qu'il a éprouvé une grande passion pour une femme nommée Leneke Eckart, et qu'il commit pour elle des indélicatesses et un délit grave. Il y aurait là une certaine similitude entre sa situation et celle de Des Grieux contraint de tricher et conduit en prison par amour pour Manon. Malheureusement la difficulté où l'on est de dater exactement la remise par Prévost du manuscrit de *Manon* interdit de trancher sur le rôle de cet événement — qu'on peut situer au plus tôt au début de 1731 — dans l'élaboration du roman.

En définitive, la recherche des sources de *Manon* n'est pas très éclairante et, anecdotiques ou autobiographiques, elles n'expliquent pas la qualité exceptionnelle de ce roman. Quel que soit le fonds auquel ait puisé Prévost, il a fait une œuvre originale et dense qui porte la marque de son génie.

## SIGNIFICATION DE *MANON*

L'histoire que nous conte l'abbé Prévost dans *Manon* a, de prime abord, l'allure d'un roman d'aventures. On y retrouve les thèmes romanesques traditionnels de l'amour contrarié de deux jeunes gens, de l'exil, du duel, de l'emprisonnement. Le vol, le meurtre, l'incendie, le travestissement jouent leur rôle dans une intrigue fertile en coups de théâtre, où les épisodes naissent les uns des autres par l'intervention inattendue d'événements fortuits.

Cependant il est clair, ne serait-ce qu'étant donné la désinvolture avec laquelle Prévost s'accommode de ces irruptions du hasard qui frisent l'invraisemblance, que c'est au-delà de la séduction du roman d'aventures qu'il place l'intérêt de son œuvre. Il s'en explique d'ailleurs lui-même dans son « Avis au lecteur » : le héros de son roman, c'est des Grieux, et ce qu'il a voulu étudier c'est le mécanisme psychologique susceptible d'entraîner sur la voie de la déchéance un jeune homme bien né, honnête, intelligent, que tout semble destiner à une vie exemplaire. Et, de fait, le collégien réservé et timide du début du roman commence par violer l'autorité paternelle en enlevant Manon, celle de l'Église en vivant avec elle sans être marié, rompt ses engagements religieux en s'enfuyant de Saint-Sulpice, triche au jeu, vit de l'argent que Manon peut tirer d'un « vieux voluptueux », échoue en prison, s'évade au prix d'un meurtre, accepte de voir sa maîtresse se partager entre lui-même et le fils d'une de ses anciennes proies, et finit par se retrouver de nouveau en prison. Parjure, tricheur, assassin, fripon, voilà tous les qualificatifs que des Grieux peut se voir attribuer au fil des événements.

Or, ce que Prévost a voulu mettre en évidence c'est l'irresponsabilité de Des Grieux, dont il fait un héros tragique, victime de la violence et de la pureté de son amour pour Manon, et qui s'enfonce dans l'infamie comme poussé par la force fatale de sa passion.

Ceci vient de ce que l'amour de Manon et de Des Grieux repose sur un malentendu; pour des Grieux c'est une passion violente, dévorante et exclusive, qui justifie tous les sacrifices et engage l'être tout entier; aux yeux de Manon, le bonheur qu'elle goûte avec des Grieux fait figure de divertissement aimable. Elle aime des Grieux comme elle aime les robes, les bijoux, les promenades, en être pour qui le bonheur d'aimer et d'être aimé ne constitue pas une raison de vivre suffisante, et ne présente d'intérêt que si d'autres plaisirs lui sont associés : « sans argent, dit-elle, c'est une sotte vertu que la fidélité ».

Aussi, chaque fois que l'argent manque à des Grieux, le problème se pose pour lui dans les mêmes termes : ou bien accepter les moyens infâmes pour s'en procurer, ou bien perdre Manon. Et c'est chaque fois le refus de renoncer à Manon, et par conséquent le triomphe en lui de la sensibilité sur la raison, qui pousse cet être épris de pureté à accepter les pires compromissions et à se souiller des crimes qu'elles peuvent entraîner. Chacune des malhonnêtetés apparaît ainsi comme un nouveau sacrifice douloureux qu'il fait à son amour et, loin de l'avilir, le grandit aux yeux du lecteur.

Le tragique du roman, inhérent donc aux caractères des personnages, ne s'abolit que lorsque ces caractères eux-mêmes changent. C'est là le sens de l'épisode américain. Le couple formé par Manon et le chevalier ne porte plus en lui sa fatalité dès l'instant où Manon, mûrie par la douleur et illuminée par la preuve de la tendresse que vient de lui fournir des Grieux, donne un sens neuf à son amour. Il est vrai qu'alors intervient un nouvel élément tragique, le caprice du destin, qui semble se jouer à plaisir des deux amants, et bafouer cruellement l'harmonie toute neuve de leur passion et la pureté généreuse de leurs élans réciproques. Ainsi, jusqu'à la métamorphose de Manon qui introduit une rupture dans le roman, les épisodes se succèdent selon un schéma analogue et pourraient se reproduire à l'infini.

Plus extraordinaire encore que d'avoir fait du fripon qu'est en définitive des Grieux un personnage sympathique et pitoyable, Prévost a réussi à faire de cette Manon, qui par sa légèreté, son goût du plaisir cause tous ses déboires, une créature délicieuse et aimable, qui séduit le lecteur, et ce couple, dont Montesquieu rappelle qu'il se compose d'un « fripon » et d'une « catin », est à nos yeux attendrissant de fraîcheur et de pureté.

Cela tient tout d'abord à la personnalité de Manon, dont l'immoralité se double d'une désarmante ingénuité; si Manon aime l'argent, c'est sans cupidité, et seulement parce qu'elle est une créature toute instinctive qui aime la facilité et le luxe et qui se refuse à en être privée si elle peut les obtenir. Aussi, quand elle trahit des Grieux, c'est sans arrière-pensée; à aucun moment elle n'a conscience de lui être infidèle dans la mesure où elle ne livre que son corps et où elle garde son cœur au chevalier : « je travaille à rendre mon chevalier heureux », lui rappelle-t-elle dans la lettre où elle l'informe de son aventure avec le vieux G... M...; de même lorsqu'elle reçoit des Grieux dans l'hôtel du jeune G... M..., elle ne semble prendre conscience du chagrin qu'elle lui a causé que devant les manifestations de sa douleur, et encore si celles-ci l'affligent sincèrement, n'en comprend-elle pas la cause. De toute évidence des Grieux et Manon ne parlent pas le même langage, et, à sa manière, celle-ci également est irresponsable et reste toujours innocente par méconnaissance de ses fautes. Aussi, malgré le « parfum de lit défait » qui se dégage de chacune des inconduites de Manon, le bonheur qu'ont les deux amants à se retrouver après chaque infidélité est tout rayonnant de l'enthousiasme de deux êtres neufs qui goûtent comme pour la première fois la joie d'être l'un à l'autre.

D'ailleurs, ce qui nourrit à travers le récit la sympathie du lecteur pour Manon, c'est qu'elle n'y est vue qu'avec les yeux du narrateur, de ce des Grieux pour qui elle est une femme tout aimable, lui qui sent fondre son cœur chaque fois qu'il la retrouve, qui est incapable de la moindre rancune à son égard et qui ne la peint qu'avec des formules qui renseignent mieux sur la passion qu'elle lui inspire que sur l'objet de cette passion; de cette Manon dont nous ne saurons jamais si elle est brune ou blonde, grande ou petite, menue ou dodue, nous apprenons qu'elle a « le visage de l'amour même », qu'elle est « ce que [la terre] a porté de plus parfait » et qu'elle est « capable de ramener l'univers à l'idolâtrie ».

D'ailleurs, Prévost a su étoffer son roman de manière à limiter le plus possible la responsabilité des héros dans leurs désordres, en en faisant le plus souvent les victimes d'une société corrompue. Sans doute le mécanisme de la déchéance de Des Grieux procède-t-il des données profondes de son caractère et de celui de Manon, mais, s'il avait eu de l'argent, il aurait certes échappé à tous les douloureux dilemmes qui le font se précipiter dans le crime; en définitive, la grande question de *Manon* n'est-elle pas la question d'argent? Aussi tout ce qui conduit les héros à en manquer peut-il être tenu pour responsable de leur inconduite : la colère d'un père et la rigidité d'une société hiérarchisée n'admettant pas la « mésalliance », qui condamnent à l'illégitimité et à une vie d'expédients leur union socialement désassortie, le hasard qui veut que leur maison soit incendiée, la malhonnêteté des domestiques qui les prive de leur magot.

Responsable également de leurs déboires, la société de leur temps l'est par la contagion qu'elle exerce sur eux. Si Manon aime le luxe, c'est qu'il s'épanouit autour d'elle, dans le Paris brillant et licencieux de la Régence; c'est qu'il est présent derrière les propositions tentatrices des vieillards fortunés et pervers. Si des Grieux s'habitue à la friponnerie, c'est que l'époque fourmille d'exemples de nobles débauchés ou tricheurs et que le vice a cessé de choquer, du fait de sa prolifération. D'ailleurs les héros éprouvent plus ou moins consciemment le besoin d'échapper à cette société qui les étouffe, et c'est peut-être cela que traduit symboliquement le thème de l'évasion, dont le retour est si fréquent dans le roman — évasion de l'auberge, de Saint-Sulpice, de la prison, de l'Europe enfin.

Avec quelle habileté également Prévost suscite-t-il le personnage de Lescaut pour décharger les héros de leur culpabilité! C'est lui qui se retrouve — à bon compte — coupable des tricheries de Des Grieux puisqu'il l'a encouragé à recourir à cet expédient; coupable également de la prostitution de Manon, lui qui l'a incitée — en l'absence du chevalier — à accorder ses faveurs au vieux G... M...; coupable encore du meurtre commis par des Grieux, puisque c'est lui qui avait, contrairement aux instructions reçues, chargé le pistolet; et jusqu'au personnage de Tiberge qui constitue une excuse pour les héros, dans la mesure où, par la vanité sophistiquée de ses interventions théologiques, il met en lumière la faiblesse du secours que la religion peut apporter contre la séduction du plaisir.

Quelle image garde-t-on, en définitive, de Manon et des Grieux? celle de deux amants victimes de la fatalité, fatalité inhérente à leurs caractères certes, à la manière racinienne, mais fatalité que la présence d'un univers corrompu sert à révéler. Et, en parodiant le mot que, dans sa préface, Malraux appliquait au roman de Faulkner *Sanctuaire : « Sanctuaire,* c'est l'intrusion de la tragédie grecque dans le roman policier », on peut être tenté de dire de l'ouvrage de l'abbé Prévost qu'il marque « l'intrusion de la tragédie classique dans le roman de mœurs ».

## STRUCTURE DE *MANON*

Ce qui frappe d'emblée le lecteur de *Manon*, c'est l'extraordinaire dépouillement de cette œuvre : aucune concession au pittoresque, à la couleur historique ou locale; on ne trouve dans le roman ni portraits physiques précis, ni peinture d'ensemble, ni évocation réaliste. Et pourtant le sujet s'y prêtait : de l'auberge d'Amiens à l'hôtel de Transylvanie, des prisons parisiennes aux rivages de la Louisiane, que de mondes originaux ou truculents auraient pu prendre vie sous la plume de Fielding ou de Flaubert! Celui-ci, d'ailleurs, reproche à *Manon* sa sécheresse, et, effectivement, ce roman a le plus souvent la platitude incolore d'un compte rendu.

C'est que des Grieux, dans son récit, ne retient des événements auxquels il a été mêlé que l'aspect essentiel, ou du moins uniquement les détails qui peuvent éclairer le drame des personnages (précisions sur l'argent, évocation réaliste de l'horreur sordide de la mine de Manon dans la charrette qui l'emporte vers Le Havre, par exemple); et il en résulte un effet de concentration de l'intérêt sur le mécanisme tragique qui entraîne les héros vers leur perte; le roman se trouve ainsi dépouillé de tout caractère anecdotique et le destin des deux amants prend un aspect intemporel et exemplaire.

D'autres aspects importants du roman — et en particulier son pathétique — tiennent à l'utilisation du procédé du retour en arrière. Racontant des événements passés et qu'il a lui-même vécus, des Grieux mêle à la narration proprement dite des réflexions sur le sens que l'avenir devait donner aux faits. Il souligne ainsi son aveuglement tragique d'être qui, par un effet de cruelle ironie, fait souvent lui-même son propre malheur ou ne voit pas les menaces que cachent des faits qui semblent anodins ou même passent inaperçus à ses yeux.

D'autre part, dans la mesure où l'image du Des Grieux qui raconte — et dont on sait la détresse matérielle et morale — est sans cesse présente dans l'esprit du lecteur à côté de celle du Des Grieux de l'histoire, elle lui rappelle que même quand la joie de retrouvailles heureuses semble mettre un terme aux malheurs des héros, leur bonheur est précaire et menacé, et les scènes les plus attendrissantes de fraîcheur ou les plus rayonnantes d'espoir sont obscurcies par la connaissance qu'on a de leur issue tragique inévitable.

Cet effet pathétique est encore accentué par l'impression douloureuse qui naît du chagrin, maintes fois rappelé par des Grieux lui-même, qu'éprouve le narrateur à revivre les moments particulièrement pénibles de son existence.

## *MANON*, DOCUMENT SOCIAL

Quelles indications le roman nous livre-t-il sur les mœurs de l'époque à laquelle il se déroule — 1720 environ, l'usage de la déportation en Amérique permettant à peu près de la dater —? Elles sont à vrai dire assez minces et surtout incolores, car — nous l'avons vu —, par un souci volontaire de dépouillement, Prévost a éliminé de son récit tout ce qui ne concerne pas directement le sens tragique de l'intrigue. Cependant, au fil des aventures des héros, et dans la mesure où leur destin est étroitement conditionné par certaines données sociales, le roman nous fait découvrir quelques aspects du Paris de la Régence, creuset d'une société en pleine effervescence. C'est l'époque qui voit grandir le pouvoir des hommes d'argent. C'est le début de l'expansion coloniale; des fortunes toutes neuves — comme celle de M. de B... — s'édifient et le luxe facile s'épanouit. Une atmosphère mondaine et frivole baigne tout le roman, où apparaissent les cafés, les salons où l'on joue, l'Opéra, la Comédie, les équipages qui promènent les élégantes le matin au bois de Boulogne, les hôtels somptueux où les financiers logent leurs conquêtes vénales, qu'ils comblent d'atours et de bijoux...

Cependant, cette société un peu dissolue et licencieuse, dont les plus notoires représentants se mêlent dans les tripots aux mauvais garçons, est attachée à un certain ordre, à un certain système de castes, comme le révèle la rigidité du père de Des Grieux, qui ne saurait souscrire à une « mésalliance », ou sa solidarité avec le vieux G... M... pour purger la société du fléau qu'à leurs yeux Manon constitue pour elle.

Les mœurs policières d'alors, avec leur arbitraire, sont également évoquées, et à travers les craintes de Des Grieux entrant à Saint-Lazare ou son effroi de savoir Manon à l'Hôpital on soupçonne l'horreur des conditions pénitentiaires.

Mais, surtout, le roman constitue essentiellement un document sur un fait historique précis : la déportation en Amérique des filles de mauvaise vie. Des études érudites ont confirmé l'authenticité historique des détails rapportés par Prévost (port d'embarquement, misère matérielle des bannies, cruauté des archers, tirage au sort à l'arrivée en vue de l'attribution aux jeunes gens de la colonie). Quant à la peinture du continent américain et des conditions de vie qu'y trouvent les héros, malgré l'indigence des précisions données par Prévost, elle est, dans sa sécheresse, plus conforme à la réalité que ne l'est l'image idyllique répandue alors par la propagande coloniale. (Voir Documents, p. 138.)

## LA POSTÉRITÉ DE *MANON*

La postérité du roman de l'abbé Prévost est riche. Tout d'abord l'histoire de Manon a inspiré de nombreuses « suites », dont la qualité est très discutable et qui révèlent le plus souvent, de la part de leurs auteurs, une grande indifférence à la signification véritable de l'œuvre. La première parut à Amsterdam en 1762. L'héroïne, ressuscitée et échappée à l'ensevelissement, se croit trahie par le chevalier et veut se faire religieuse. Après une série de hasards invraisemblables, des Grieux la retrouve; ils s'épousent. Mais Tiberge s'est épris de Manon, et tous deux se retirent au couvent, laissant là le chevalier... Dumas fils, sous le titre : *le Régent Mustel,* publia une autre « suite ». Trois couples illustres se trouvent réunis dans ce roman : Manon et des Grieux, Virginie et Paul, Charlotte et Werther. La mort seule les délivre de passions compliquées et invraisemblables. Tout le monde connaît l'opéra que Massenet a écrit sous le titre de *Manon,* mais on connaît moins les nombreuses autres œuvres lyriques que le roman a inspirées, comme le ballet-pantomime dont Halévy a composé la musique et qui s'intitule *Manon Lescaut* (1830), l'opéra italien de Casati, intitulé également *Manon Lescaut,* un opéra-comique d'Eugène Scribe sur une musique de M. Auber (1856).

Le cinéma également s'est emparé du thème de Manon; des nombreux films qu'il a inspirés, le plus intéressant est celui de Clouzot (1948), qui, bien qu'étant une transposition de l'histoire des deux amants dans la France de la Libération, respecte bien l'esprit du roman de Prévost. Clouzot trouve dans l'époque agitée de l'après-guerre, celle du marché noir et des fortunes faciles, un cadre social analogue à celui qui explique, sous la Régence, les désordres de Des Grieux et les tentations de Manon. La terre d'exil des deux amants n'est plus l'Amérique mais la Palestine, pour laquelle ils s'embarquent tous deux clandestinement avec un groupe de juifs échappés aux persécutions nazies et qui vont rejoindre la Terre promise. On voit bien ici l'analogie entre le film et le roman : dans l'un et l'autre, c'est à un groupe de bannis que sont associés Manon et des Grieux; ici comme là ils peuvent imaginer qu'ils abordent à un univers vierge, au contact duquel ils vont être purifiés et où ils pourront recommencer une existence neuve. Enfin, Clouzot a tiré du paysage même de la Palestine des effets plastiques qui donnent à la scène de la mort et de l'ensevelissement de Manon une qualité d'émotion analogue à celle qu'on trouve chez Prévost : l'aridité sableuse du désert y compose, avec la silhouette effrayante et décharnée de quelques arbres comme fossilisés par la sécheresse, un paysage un peu surréaliste, rendu inhumain par son étrange beauté minérale et qui souligne bien la solitude et l'abandon du héros. Les hardiesses de l'expression cinématographique permettent d'autre part d'indiquer la sensualité brutale des dernières manifestations d'amour de Des Grieux pour Manon déjà morte, rendant particulièrement pathétique le déchirement du jeune homme qui se refuse à voir dans Manon ce qu'elle est désormais : un objet inerte et sans vie.

*Remarque.* — Bien que le texte du roman soit écrit d'un seul tenant, sans chapitres et sans autre articulation importante que la pause faite par des Grieux dans sa narration et dont la place se justifie plus par l'équilibre matériel des parties que par l'architecture interne de l'œuvre, nous avons pensé rendre plus intelligible la structure du roman en isolant les uns des autres les divers épisodes par des sous-titres placés entre crochets qui, bien entendu, ne sont pas de Prévost.

# MANON LESCAUT

## AVIS AU LECTEUR

*(Extrait)*

J'ai à peindre un jeune aveugle, qui refuse d'être heureux, pour se précipiter volontairement dans les dernières infortunes; qui, avec toutes les qualités dont se forme le plus brillant mérite, préfère, par choix, une vie obscure et vagabonde, à tous les avantages de la fortune et de la nature; qui prévoit ses malheurs, sans vouloir les éviter; qui les sent et qui en est accablé, sans profiter des remèdes qu'on lui offre sans cesse et qui peuvent à tous moments les finir; enfin un caractère ambigu, un mélange de vertus et de vices, un contraste perpétuel de bons sentiments et d'actions mauvaises. Tel est le fond du tableau que je présente. Les personnes de bon sens ne regarderont point un ouvrage de cette nature comme un travail inutile. Outre le plaisir d'une lecture agréable, on y trouvera peu d'événements qui ne puissent servir à l'instruction des mœurs; et c'est rendre, à mon avis, un service considérable au public, que de l'instruire en l'amusant [...]. **(1)**

## PREMIÈRE PARTIE

[L'auteur des *Mémoires d'un homme de qualité* revenait de Rouen par Évreux, quand, parvenu à Pacy-sur-Eure, il aperçut devant une hostellerie un lamentable convoi de filles enchaînées qu'on déportait en Louisiane. L'une d'entre elles, dont la grande beauté et la distinction contrastaient avec l'ignominie de sa situation, attira son attention; près d'elle, un jeune noble au visage marqué par l'abattement et le désespoir, et qui, ayant suivi le convoi depuis Paris, prétendait ne pas s'en séparer et la suivre jusqu'en Amérique. Poussé par la curiosité et la compassion, le narrateur tâche de gagner la

**QUESTIONS**

**1.** Qui est pour l'auteur le héros du roman? Quel en est, d'après lui, le sujet? — Comment souligne-t-il le caractère paradoxal du comportement de Des Grieux? — Quel genre de roman annonce cette préface?

sympathie du jeune homme, mais il ne peut lui arracher le secret de la lamentable aventure qui l'a mené à cette extrémité; il lui offre cependant le secours de sa bourse, que l'autre accepte avec reconnaissance.

Près de deux ans plus tard, l'auteur rencontre le même jeune homme à Calais, plus pâle et plus abattu encore que la première fois. Il obtient de lui le récit de son aventure, récit qui commençait ainsi.]

## [Le coup de foudre.]

J'avais dix-sept ans, et j'achevais mes études de philosophie à Amiens[1] où mes parents, qui sont d'une des meilleures maisons de P., m'avaient envoyé. Je menais une vie si sage et si réglée, que mes maîtres me proposaient pour l'exemple du collège. Non que je fisse des efforts extraordinaires pour mériter cet éloge, mais j'ai l'humeur naturellement douce et tranquille : je m'appliquais à l'étude par inclination, et l'on me comptait pour des vertus quelques marques d'aversion naturelle pour le vice. Ma naissance, le succès de mes études et quelques agréments extérieurs m'avaient fait connaître et estimer de tous les honnêtes gens de la ville. J'achevai mes exercices publics[2] avec une approbation si générale, que Monsieur l'Évêque, qui y assistait, me proposa d'entrer dans l'état ecclésiastique, où je ne manquerais pas, disait-il, de m'attirer plus de distinction que dans l'ordre de Malte, auquel mes parents me destinaient. Ils me faisaient déjà porter la croix, avec le nom de chevalier des Grieux[3]. Les vacances arrivant, je me préparais à retourner chez mon père, qui m'avait promis de m'envoyer bientôt à l'Académie[4]. (2) Mon seul regret, en quittant Amiens, était d'y laisser un ami avec lequel j'avais toujours été tendrement uni. Il était de quelques années plus âgé que moi. Nous avions été élevés ensemble, mais le bien de sa maison étant des plus médiocres, il était obligé de prendre l'état ecclésiastique, et de

---

1. Le collège d'Amiens, confié aux Jésuites depuis 1608, jouissait alors d'un grand renom; 2. Ces exercices consistaient en soutenances de thèses publiques sur des matières philosophiques et théologiques; 3. L'ordre de Malte recevait beaucoup de cadets de familles nobles; 4. *Académie :* lieu où les jeunes gens apprenaient l'équitation, l'escrime et autres exercices du corps avant de partir pour l'armée. Il y en avait trois à Paris, tenues par des écuyers du roi.

**QUESTIONS**

Question 2, v. p. 23.

demeurer à Amiens après moi, pour y faire les études qui conviennent à cette profession. Il avait mille bonnes qualités. Vous le connaîtrez par les meilleures dans la suite de mon histoire, et surtout, par un zèle et une générosité en amitié qui surpassent les plus célèbres exemples de l'Antiquité. Si j'eusse alors suivi ses conseils, j'aurais toujours été sage et heureux. Si j'avais, du moins, profité de ses reproches dans le précipice où mes passions m'ont entraîné, j'aurais sauvé quelque chose du naufrage de ma fortune et de ma réputation. Mais il n'a point recueilli d'autre fruit de ses soins que le chagrin de les voir inutiles et, quelquefois, durement récompensés par un ingrat qui s'en offensait, et qui les traitait d'importunités. **(3)**

J'avais marqué le temps de mon départ d'Amiens. Hélas! que ne le marquais-je un jour plus tôt! j'aurais porté chez mon père toute mon innocence. La veille même de celui que je devais quitter cette ville, étant à me promener avec mon ami, qui s'appelait Tiberge, nous vîmes arriver le coche d'Arras, et nous le suivîmes jusqu'à l'hôtellerie où ces voitures descendent. Nous n'avions pas d'autre motif que la curiosité. Il en sortit quelques femmes, qui se retirèrent aussitôt. Mais il en resta une, fort jeune, qui s'arrêta seule dans la cour, pendant qu'un homme d'un âge avancé, qui paraissait lui servir de conducteur,

## QUESTIONS

**2.** Le portrait de Des Grieux : En quoi constitue-t-il une exposition? Relevez les détails utiles à l'intelligence de l'intrigue qui y sont contenus. — Ce portrait est-il complet, précis? Quel en est le contenu psychologique? social? — Montrez que les éléments retenus visent à souligner, d'une part, les bonnes dispositions naturelles de Des Grieux, d'autre part le brillant avenir auquel il pouvait s'attendre. — Montrez qu'il en résulte :

— un effet pathétique, dû au procédé du retour en arrière et qui vient du contraste entre ce que nous savons du destin de Des Grieux et ce que ce destin aurait pu être;

— un regain d'intérêt pour le lecteur, curieux de connaître les péripéties qui ont causé la déchéance d'un garçon bien né et aussi honnête;

— des indications intéressantes sur le caractère de Des Grieux lui-même; comment, en effet, la manière dont il oriente son propre portrait révèle-t-elle un esprit faible et fataliste?

**3.** Quels traits du caractère de Tiberge sont mentionnés ici? Ne peut-on déjà deviner le rôle qu'il va jouer dans le roman?

— Quels sentiments des Grieux semble-t-il éprouver en évoquant Tiberge? A quels exemples d'amitiés antiques peut-il notamment penser quand il veut essayer de définir celle qui le liait à Tiberge?

s'empressait pour faire tirer son équipage des paniers[5]. **(4)** Elle me parut si charmante que moi, qui n'avais jamais pensé à la différence des sexes, ni regardé une fille avec un peu d'attention, moi, dis-je, dont tout le monde admirait la sagesse et la retenue, je me trouvai enflammé tout d'un coup jusqu'au transport[6]. **(5)** J'avais le défaut d'être excessivement timide et facile à déconcerter; mais loin d'être arrêté alors par cette faiblesse, je m'avançai vers la maîtresse de mon cœur. Quoiqu'elle fût encore moins âgée que moi, elle reçut mes politesses sans paraître embarrassée. Je lui demandai ce qui l'amenait à Amiens et si elle y avait quelques personnes de connaissance. Elle me répondit ingénument qu'elle y était envoyée par ses parents pour être religieuse. L'amour me rendait déjà si éclairé, depuis un moment qu'il était dans mon cœur, que je regardai ce dessein comme un coup mortel pour mes désirs. Je lui parlai d'une manière qui lui fit comprendre mes sentiments, car elle était bien plus expérimentée que moi. C'était malgré elle qu'on l'envoyait au couvent, pour arrêter sans doute son penchant au plaisir, qui s'était déjà déclaré et qui a causé, dans la suite, tous ses malheurs et les miens. Je combattis la cruelle intention de ses parents par toutes les raisons que mon amour naissant et mon éloquence scolastique[7] purent

---

5. *Paniers :* ce terme désigne les grandes caisses d'osier situées à l'avant ou à l'arrière du coche et où l'on plaçait les bagages (équipage); 6. *Transport :* violent mouvement de l'âme (langue classique); 7. *Scolastique :* au sens étymologique, « d'école ». Un aspect important de l'enseignement des collèges à cette époque consistait en l'apprentissage des techniques de la rhétorique.

## QUESTIONS

**4.** Étudiez l'art du récit dans ce paragraphe. — Comment Prévost arrive-t-il à donner à l'arrivée de Manon le caractère d'une apparition? — Montrez en particulier l'impression d'attente que créent les deux premières phrases et comment cette impression est accentuée par la phrase suivante, qui retarde la narration par une accumulation de détails banals et sans intérêt immédiat.

— Soulignez la rupture de rythme qui intervient : *Mais il en resta une...*

— Étudiez l'ordre dans lequel des Grieux livre ses impressions sur Manon et montrez-en la signification. — Appréciez la signification psychologique de l'absence de tout portrait physique de Manon. — Enfin, montrez que la présence de Manon est mise en valeur par un procédé de mise en scène théâtrale.

**5.** Par quels procédés des Grieux indique-t-il dans cette phrase la soudaineté et la violence du coup de foudre, ainsi que la passivité avec laquelle il s'y abandonne? Étudiez en particulier l'équilibre des différents membres de phrases, la voix et le temps des verbes.

Phot. Larousse.

L'abbé Prévost.

Portrait gravé en 1746 par J. G. Will, d'après C. N. Cochin fils.

me suggérer. Elle n'affecta ni rigueur ni dédain. Elle me dit, après un moment de silence, qu'elle ne prévoyait que trop qu'elle allait être malheureuse, mais que c'était apparemment la volonté du Ciel, puisqu'il ne lui laissait nul moyen de l'éviter. La douceur de ses regards, un air charmant de tristesse en prononçant ces paroles, ou plutôt, l'ascendant[8] de ma destinée qui m'entraînait à ma perte, ne me permirent pas de balancer[9] un moment sur ma réponse. Je l'assurai que, si elle voulait faire quelque fond sur mon honneur et sur la tendresse infinie qu'elle m'inspirait déjà, j'emploierais ma vie pour la délivrer de la tyrannie de ses parents, et pour la rendre heureuse. Je me suis étonné mille fois, en y réfléchissant, d'où me venait alors tant de hardiesse et de facilité à m'exprimer; mais on ne ferait pas une divinité de l'amour, s'il n'opérait souvent des prodiges. J'ajoutai mille choses pressantes. **(6)** Ma belle inconnue savait bien qu'on n'est point trompeur à mon âge; elle me confessa que, si je voyais quelque jour[10] à la pouvoir mettre en liberté, elle croirait m'être redevable de quelque chose de plus cher que la vie. Je lui répétai que j'étais prêt à

---

**8.** *L'ascendant :* en termes d'astrologie, l'« ascendant » désigne le signe du zodiaque qui monte à l'horizon au moment de la naissance. Les astrologues lui attribuent une influence déterminante sur la destinée; **9.** *Balancer :* hésiter; **10.** *Jour :* moyen.

## QUESTIONS

**6.** L'art du récit dans ce passage : étudiez l'habileté avec laquelle se mêlent et s'enchaînent la narration proprement dite, les paroles rapportées et les réflexions faites *a posteriori* sur l'événement.

Intérêt de ces interprétations et jugements portés après coup.

— Montrez qu'ils donnent une résonance tragique à une scène qui, en elle-même, aurait pu être charmante et attendrissante, et que, d'autre part, ils soulignent la distance que des Grieux prend par rapport à son passé et opposent sa naïveté d'alors à sa lucidité présente. — La personnalité de Des Grieux : comment son comportement au cours de cette rencontre révèle-t-il sa naïveté? — Montrez qu'il trahit également un esprit romanesque. — Étudiez la signification conventionnelle qu'il donne à sa situation et le vocabulaire qu'il emploie. — Dans quelle mesure se trouve expliqué par là la hardiesse inattendue dont il fait preuve et la rapidité avec laquelle il offre à Manon un appui inconditionnel?

— D'après la manière dont il conduit le récit, remarquez ses efforts pour limiter sa part de responsabilité. Quelles sont les formules significatives à cet égard? — La personnalité de Manon : montrez, en étudiant la progression du passage, que c'est Manon qui dirige l'entretien : comment précipite-t-elle la décision de Des Grieux? Quelle inquiétude lui suggère-t-elle? Comment exploite-t-elle la compassion qu'elle lui inspire? Comment enfin, en se composant un personnage, lui suggère-t-elle le rôle qu'il doit jouer?

tout entreprendre, mais, n'ayant point assez d'expérience pour imaginer tout d'un coup les moyens de la servir, je m'en tenais à cette assurance générale, qui ne pouvait être d'un grand secours pour elle et pour moi. Son vieil Argus étant venu nous rejoindre, mes espérances allaient échouer si elle n'eût eu assez d'esprit pour suppléer à la stérilité du mien. Je fus surpris, à l'arrivée de son conducteur, qu'elle m'appelât son cousin et que, sans paraître déconcertée le moins du monde, elle me dît que, puisqu'elle était assez heureuse pour me rencontrer à Amiens, elle remettait au lendemain son entrée dans le couvent, afin de se procurer le plaisir de souper avec moi. J'entrai fort bien dans le sens de cette ruse. Je lui proposai de se loger dans une hôtellerie, dont le maître, qui s'était établi à Amiens, après avoir été longtemps cocher de mon père, était dévoué entièrement à mes ordres. Je l'y conduisis moi-même, tandis que le vieux conducteur paraissait un peu murmurer, et que mon ami Tiberge, qui ne comprenait rien à cette scène, me suivait sans prononcer une parole. Il n'avait point entendu notre entretien. Il était demeuré à se promener dans la cour pendant que je parlais d'amour à ma belle maîtresse. Comme je redoutais sa sagesse, je me défis de lui par une commission dont je le priai de se charger. Ainsi j'eus le plaisir, en arrivant à l'auberge, d'entretenir seul la souveraine de mon cœur. Je reconnus bientôt que j'étais moins enfant que je ne le croyais. Mon cœur s'ouvrit à mille sentiments de plaisir dont je n'avais jamais eu l'idée. Une douce chaleur se répandit dans toutes mes veines. J'étais dans une espèce de transport, qui m'ôta pour quelque temps la liberté de la voix et qui ne s'exprimait que par mes yeux. Mademoiselle Manon Lescaut, c'est ainsi qu'elle me dit qu'on la nommait, parut fort satisfaite de cet effet de ses charmes. Je crus apercevoir qu'elle n'était pas moins émue que moi. Elle me confessa qu'elle me trouvait aimable et qu'elle serait ravie de m'avoir obligation de sa liberté. Elle voulut savoir qui j'étais, et cette connaissance augmenta son affection, parce qu'étant d'une naissance commune, elle se trouva flattée d'avoir fait la conquête d'un amant tel que moi (7). Nous nous entretînmes des moyens

**QUESTIONS**

**7.** Étudiez comment les deux personnages réagissent différemment en face de leur passion naissante. Quels sont les détails qui révèlent la faiblesse et l'ingénuité de Des Grieux? ceux qui montrent la subtilité et le sang-froid de Manon?

d'être l'un à l'autre. Après quantité de réflexions, nous ne trouvâmes point d'autre voie que celle de la fuite. Il fallait tromper la vigilance du conducteur, qui était un homme à ménager, quoiqu'il ne fût qu'un domestique. Nous réglâmes que je ferais préparer pendant la nuit une chaise de poste[11], et que je reviendrais de grand matin à l'auberge avant qu'il fût éveillé; que nous nous déroberions secrètement, et que nous irions droit à Paris, où nous nous ferions marier en arrivant. J'avais environ cinquante écus[12], qui étaient le fruit de mes petites épargnes; elle en avait à peu près le double. Nous nous imaginâmes, comme des enfants sans expérience, que cette somme ne finirait jamais, et nous ne comptâmes pas moins sur le succès de nos autres mesures. **(8)**

Après avoir soupé avec plus de satisfaction que je n'en avais jamais ressenti, je me retirai pour exécuter notre projet. Mes arrangements furent d'autant plus faciles, qu'ayant eu dessein de retourner le lendemain chez mon père, mon petit équipage était déjà préparé. Je n'eus donc nulle peine à faire transporter ma malle, et à faire tenir une chaise prête pour cinq heures du matin, qui étaient le temps où les portes de la ville devaient être ouvertes; mais je trouvai un obstacle dont je ne me défiais point, et qui faillit de rompre entièrement mon dessein.

Tiberge, quoique âgé seulement de trois ans plus que moi, était un garçon d'un sens mûr et d'une conduite fort réglée. Il m'aimait avec une tendresse extraordinaire. La vue d'une aussi jolie fille que Mademoiselle Manon, mon empressement à la conduire, et le soin que j'avais eu de me défaire de lui en l'éloignant, lui firent naître quelques soupçons de mon amour. Il n'avait osé revenir à l'auberge, où il m'avait laissé, de peur de m'offenser par son retour; mais il était allé m'attendre à mon logis, où je le trouvai en arrivant, quoiqu'il fût dix heures du soir. Sa présence me chagrina. Il s'aperçut facilement de la contrainte qu'elle me causait. « Je suis sûr, me dit-il sans déguisement, que vous méditez quelque dessein que vous me

---

**11.** *Chaise de poste :* voiture de voyage la plus rapide à l'époque. Elle pouvait aller d'Amiens à Paris en quarante heures et onze relais; **12.** Somme qui devait leur permettre de vivre environ un mois à eux deux.

## QUESTIONS

**8.** Comment, dès l'organisation de leur fuite, se manifeste l'inexpérience des deux jeunes gens et leur goût du romanesque?

voulez cacher; je le vois à votre air. » Je lui répondis assez brusquement que je n'étais pas obligé de lui rendre compte de tous mes desseins. « Non, reprit-il, mais vous m'avez toujours traité en ami, et cette qualité suppose un peu de confiance et d'ouverture[13]. » Il me pressa si fort et si longtemps de lui découvrir mon secret, que, n'ayant jamais eu de réserve avec lui, je lui fis l'entière confidence de ma passion. Il la reçut avec une apparence de mécontentement qui me fit frémir. Je me repentis surtout de l'indiscrétion[14] avec laquelle je lui avais découvert le dessein de ma fuite. Il me dit qu'il était trop parfaitement mon ami pour ne pas s'y opposer de tout son pouvoir; qu'il voulait me représenter d'abord tout ce qu'il croyait capable de m'en détourner, mais que, si je ne renonçais pas ensuite à cette misérable résolution, il avertirait des personnes qui pourraient l'arrêter à coup sûr. Il me tint là-dessus un discours sérieux qui dura plus d'un quart d'heure, et qui finit encore par la menace de me dénoncer, si je ne lui donnais ma parole de me conduire avec plus de sagesse et de raison. J'étais au désespoir de m'être trahi si mal à propos. Cependant, l'amour m'ayant ouvert extrêmement l'esprit depuis deux ou trois heures, je fis attention que je ne lui avais pas découvert que mon dessein devait s'exécuter le lendemain, et je résolus de le tromper à la faveur d'une équivoque : « Tiberge, lui dis-je, j'ai cru jusqu'à présent que vous étiez mon ami, et j'ai voulu vous éprouver par cette confidence. Il est vrai que j'aime, je ne vous ai pas trompé, mais, pour ce qui regarde ma fuite, ce n'est point une entreprise à former au hasard. Venez me prendre demain à neuf heures; je vous ferai voir, s'il se peut, ma maîtresse[15], et vous jugerez si elle mérite que je fasse cette démarche pour elle. » Il me laissa seul, après mille protestations d'amitié. J'employai la nuit à mettre ordre à mes affaires, et m'étant rendu à l'hôtellerie de Mademoiselle Manon vers la pointe du jour, je la trouvai qui m'attendait. Elle était à sa fenêtre, qui donnait sur la rue, de sorte que, m'ayant aperçu, elle vint m'ouvrir elle-même. Nous sortîmes sans bruit. Elle n'avait point d'autre équipage[16] que son linge, dont je me chargeai moi-même. La chaise était en état de partir; nous nous éloignâmes aussitôt de la ville.

---

13. *Ouverture :* franchise; 14. *Indiscrétion :* absence malencontreuse de discernement; 15. *Maîtresse :* femme que l'on aime et dont on est aimé; 16. *Equipage :* « bagages, meubles, équipement » (Richelet).

Je rapporterai, dans la suite, quelle fut la conduite de Tiberge, lorsqu'il s'aperçut que je l'avais trompé. Son zèle n'en devint pas moins ardent. Vous verrez à quel excès il le porta, et combien je devrais verser de larmes en songeant quelle en a toujours été la récompense. **(9)**

[Sourd aux recommandations de Tiberge, des Grieux se rend de très bonne heure à l'hostellerie, où Manon l'attend, et les deux jeunes gens partent en chaise de poste pour Paris; leur air de tendresse ingénue suscite partout l'attendrissement et l'admiration.]

Nous nous hâtâmes tellement d'avancer que nous arrivâmes à Saint-Denis[17] avant la nuit. J'avais couru à cheval à côté de la chaise, ce qui ne nous avait guère permis de nous entretenir qu'en changeant de chevaux; mais lorsque nous nous vîmes si proche de Paris, c'est-à-dire presque en sûreté, nous prîmes le temps de nous rafraîchir, n'ayant rien mangé depuis notre départ d'Amiens. Quelque passionné que je fusse pour Manon, elle sut me persuader qu'elle ne l'était pas moins pour moi. Nous étions si peu réservés dans nos caresses, que nous n'avions pas la patience d'attendre que nous fussions seuls. Nos postillons et nos hôtes nous regardaient avec admiration, et je remarquais qu'ils étaient surpris de voir deux enfants de notre âge, qui paraissaient s'aimer jusqu'à la fureur. Nos projets de mariage furent oubliés à Saint-Denis; nous fraudâmes les droits de l'Église et nous nous trouvâmes époux sans y avoir fait réflexion. Il est sûr que, du naturel tendre et constant dont je suis, j'étais heureux pour toute ma vie, si Manon m'eût été fidèle. Plus je la connaissais, plus je découvrais en elle de nouvelles qualités aimables. Son esprit, son cœur, sa douceur et sa beauté formaient une chaîne si forte et si charmante,

17. Dernier relais avant Paris, où l'on entre par la porte Saint-Denis. — *Proche* (trois lignes plus bas) : près (valeur adverbiale).

## QUESTIONS

**9.** Ne peut-on reprocher à cette longue scène de l'altercation avec Tiberge de retarder l'action? A-t-elle une conséquence directe sur l'intrigue? Quelle peut être son utilité? Montrez qu'elle prend son sens par rapport au dessin général du roman où, à chaque étape de sa déchéance, des Grieux trouve Tiberge qui se dresse en face de lui comme sa conscience et tente de le ramener dans le droit chemin. — Quels traits du caractère de Tiberge apparaissent ici? se montre-t-il très adroit avec des Grieux? — Comment l'attention du lecteur se trouve-t-elle relancée dans les dernières lignes?

que j'aurais mis tout mon bonheur à n'en sortir jamais. Terrible changement! Ce qui fait mon désespoir a pu faire ma félicité. Je me trouve le plus malheureux de tous les hommes, par cette même constance dont je devais attendre le plus doux de tous les sorts, et les plus parfaites récompenses de l'amour. **(10) (11)**

## [PREMIÈRE TRAHISON DE MANON.]

Nous prîmes un appartement meublé à Paris. Ce fut dans la rue V...[18] et, pour mon malheur, auprès de la maison de M. de B..., célèbre fermier général[19]. Trois semaines se passèrent, pendant lesquelles j'avais été si rempli de ma passion que j'avais peu songé à ma famille et au chagrin que mon père avait dû ressentir de mon absence. Cependant, comme la débauche n'avait nulle part à ma conduite, et que Manon se comportait aussi avec beaucoup de retenue, la tranquillité où nous vivions servit à me faire rappeler peu à peu l'idée de mon devoir. Je résolus de me réconcilier, s'il était possible, avec mon père. Ma maîtresse était si aimable que je ne doutai point qu'elle ne pût lui plaire, si je trouvais moyen de lui faire connaître sa sagesse et son mérite : en un mot, je me flattai d'obtenir de lui la liberté de l'épouser, ayant été désabusé de l'espérance de le pouvoir sans son consentement. Je communiquai ce projet à Manon, et je lui fis entendre qu'outre les

**18.** Il s'agit probablement de la rue Vivienne, où Law avait installé sa banque. Les hôtels de nombreux financiers se bâtissaient alors à l'entour; **19.** *Les fermiers généraux*, dont le rôle était d'avancer à l'État le produit des impôts qu'ils se chargeaient ensuite de recouvrer eux-mêmes, édifiaient de colossales fortunes et constituaient une classe puissante dans la société de l'Ancien Régime.

### QUESTIONS

**10.** Comment, dans la conclusion qu'il apporte au récit de cet épisode, des Grieux insiste-t-il sur le caractère tragique de son destin?

**11.** SUR L'ENSEMBLE DU PASSAGE « LE COUP DE FOUDRE ». — La technique du récit : intérêt du récit à la première personne; comment ce moyen permet-il un jeu de références à des périodes plus récentes; utilité de ce fait?

— Définissez le type de roman dans lequel nous nous engageons. La peinture de la passion. Les effets de celle-ci sur la personnalité de Des Grieux.

— Les deux personnages principaux : points communs, divergences. Importance dramatique de celles-ci.

motifs de l'amour et du devoir, celui de la nécessité pouvait y entrer aussi pour quelque chose, car nos fonds étaient extrêmement altérés, et je commençais à revenir de l'opinion qu'ils étaient inépuisables. Manon reçut froidement cette proposition. Cependant, les difficultés qu'elle y opposa n'étant prises que de sa tendresse même et de la crainte de me perdre, si mon père n'entrait point dans notre dessein après avoir connu le lieu de notre retraite, je n'eus pas le moindre soupçon du coup cruel qu'on se préparait à me porter. A l'objection de la nécessité, elle répondit qu'il nous restait encore de quoi vivre quelques semaines, et qu'elle trouverait, après cela, des ressources dans l'affection de quelques parents à qui elle écrirait en province. Elle adoucit son refus par des caresses[20] si tendres et si passionnées, que moi, qui ne vivais que dans elle, et qui n'avais pas la moindre défiance de son cœur, j'applaudis à toutes ses réponses et à toutes ses résolutions. **(12)** Je lui avais laissé la disposition de notre bourse, et le soin de payer notre dépense ordinaire. Je m'aperçus, peu après, que notre table était mieux servie, et qu'elle s'était donné quelques ajustements d'un prix considérable. Comme je n'ignorais pas qu'il devait nous rester à peine douze ou quinze pistoles[21], je lui marquai mon étonnement de cette augmentation apparente de notre opulence. Elle me pria, en riant, d'être sans embarras. « Ne vous ai-je pas promis, me dit-elle, que je trouverais des ressources? » Je l'aimais avec trop de simplicité[22] pour m'alarmer facilement.

Un jour que j'étais sorti l'après-midi, et que je l'avais avertie que je serais dehors plus longtemps qu'à l'ordinaire, je fus étonné qu'à mon retour on me fît attendre deux ou trois minutes à la porte. Nous n'étions servis que par une petite fille qui était

---

**20.** *Caresses :* marques d'affection; **21.** Une *pistole* est l'équivalent de dix francs-or. La somme dont fait mention des Grieux représente 750 francs actuels environ; **22.** *Simplicité :* candeur, naïveté, et honnêteté ici.

### QUESTIONS

**12.** Pourquoi, dès les premières lignes, des Grieux veut-il avertir son interlocuteur du rôle que M. de B... va jouer dans sa destinée? Cette connaissance déflore-t-elle l'intérêt du récit ou, au contraire, apporte-t-elle à celui-ci une qualité supplémentaire? Montrez en effet que des Grieux donne assez d'indications pour que le récit prenne une résonance tragique, mais pas assez pour que la curiosité du lecteur soit satisfaite. — Pour quelles raisons des Grieux veut-il épouser Manon? Pourquoi celle-ci refuse-t-elle? Montrez qu'apparaît ici nettement la conception différente que les personnages se font de leur amour. En quoi la suite du récit va-t-elle donner un sens cruel à la raison que Manon oppose à des Grieux?

à peu près de notre âge. Étant venue m'ouvrir[23], je lui demandai pourquoi elle avait tardé si longtemps. Elle me répondit, d'un air embarrassé, qu'elle ne m'avait point entendu frapper. Je n'avais frappé qu'une fois; je lui dis : « Mais, si vous ne m'avez pas entendu, pourquoi êtes-vous donc venue m'ouvrir? » Cette question la déconcerta si fort, que, n'ayant point assez de présence d'esprit pour y répondre, elle se mit à pleurer, en m'assurant que ce n'était point sa faute, et que madame lui avait défendu d'ouvrir la porte jusqu'à ce que M. de B... fût sorti par l'autre escalier, qui répondait au cabinet. Je demeurai si confus, que je n'eus point la force d'entrer dans l'appartement. Je pris le parti de descendre sous prétexte d'une affaire, et j'ordonnai à cet enfant de dire à sa maîtresse que je retournerais dans le moment, mais de ne pas faire connaître qu'elle m'eût parlé de M. de B... **(13)**

Ma consternation fut si grande, que je versais des larmes en descendant l'escalier, sans savoir encore de quel sentiment elles partaient. J'entrai dans le premier café[24] et m'y étant assis près d'une table, j'appuyai la tête sur mes deux mains pour y développer[25] ce qui se passait dans mon cœur. Je n'osais rappeler ce que je venais d'entendre. Je voulais le considérer comme une illusion, et je fus prêt deux ou trois fois de retourner au logis, sans marquer que j'y eusse fait attention. Il me paraissait si impossible que Manon m'eût trahi, que je craignais de lui faire injure en la soupçonnant. Je l'adorais, cela était sûr; je ne lui avais pas donné plus de preuves d'amour que je n'en avais reçu d'elle; pourquoi l'aurais-je accusée d'être moins sincère et moins constante que moi? Quelle raison aurait-elle eue de me tromper? Il n'y avait que trois heures qu'elle m'avait accablé de ses plus tendres caresses et qu'elle avait reçu les miennes avec transport; je ne connaissais pas mieux

---

**23.** La construction de cette phrase serait incorrecte aujourd'hui où la règle interdit d'apposer un participe à un autre nom que le sujet de la proposition. Ce tour se rencontre dans la langue littéraire du XVII^e^ et du XVIII^e^ siècle; **24.** *Café :* trait des mœurs de l'époque ; ces établissements, d'un genre nouveau alors, connaissaient une grande vogue (voir Diderot, *le Neveu de Rameau*); **25.** *Développer :* ici analyser, débrouiller.

## QUESTIONS

**13.** Pourquoi des Grieux n'exige-t-il pas plus d'explications de Manon? Est-ce uniquement un effet de sa « simplicité », ou bien redoute-t-il de découvrir la vérité? Quel trait de caractère révèle une telle attitude? — D'après la manière dont Manon lui répond, vous semble-t-elle avoir conscience d'être infidèle à des Grieux?

mon cœur que le sien. Non, non, repris-je, il n'est pas possible que Manon me trahisse. Elle n'ignore pas que je ne vis que pour elle. Elle sait trop bien que je l'adore. Ce n'est pas là un sujet de me haïr.

Cependant la visite et la sortie furtive de M. de B... me causaient de l'embarras. Je rappelais aussi les petites acquisitions de Manon, qui me semblaient surpasser nos richesses présentes. Cela paraissait sentir les libéralités d'un nouvel amant. Et cette confiance qu'elle m'avait marquée pour des ressources qui m'étaient inconnues! J'avais peine à donner à tant d'énigmes un sens aussi favorable que mon cœur le souhaitait. D'un autre côté, je ne l'avais presque pas perdue de vue depuis que nous étions à Paris. Occupations, promenades, divertissements, nous avions toujours été l'un à côté de l'autre; mon Dieu! un instant de séparation nous aurait trop affligés. Il fallait nous dire sans cesse que nous nous aimions; nous serions morts d'inquiétude sans cela. Je ne pouvais donc m'imaginer presque un seul moment où Manon pût s'être occupée d'un autre que moi. A la fin, je crus avoir trouvé le dénouement de ce mystère. M. de B..., dis-je en moi-même, est un homme qui fait de grosses affaires, et qui a de grandes relations; les parents de Manon se seront servis de cet homme pour lui faire tenir quelque argent. Elle en a peut-être déjà reçu de lui; il est venu aujourd'hui lui en apporter encore. Elle s'est fait sans doute un jeu de me le cacher, pour me surprendre agréablement. Peut-être m'en aurait-elle parlé si j'étais rentré à l'ordinaire, au lieu de venir ici m'affliger; elle ne me le cachera pas, du moins, lorsque je lui en parlerai moi-même. **(14)**

Je me remplis si fortement de cette opinion, qu'elle eut la force de diminuer beaucoup ma tristesse. Je retournai sur-le-champ au logis. J'embrassai Manon avec ma tendresse ordinaire. Elle me reçut fort bien. J'étais tenté d'abord de lui découvrir mes conjectures, que je regardais plus que jamais

**QUESTIONS**

**14.** Comment, dans le désespoir qui saisit des Grieux, se manifestent sa faiblesse et son absence de sang-froid? Notez l'importance donnée par Prévost aux manifestations physiques de son chagrin. — L'analyse que des Grieux fait de la situation vous paraît-elle lucide et objective? Montrez qu'il y est guidé sans cesse par le souci de trouver une explication qui innocente Manon. La solution qu'il imagine vous paraît-elle vraisemblable? peut-elle le satisfaire? Montrez qu'ici des Grieux se comporte en personnage tragique par son refus d'envisager la vérité.

Phot. B. N.

« ... Il en resta une, fort jeune, qui s'arrêta seule dans la cour... » (p. 23).
Gravure de L. Ruet, d'après Maurice Leloir.

comme certaines; je me retins, dans l'espérance qu'il lui arriverait peut-être de me prévenir[26], en m'apprenant tout ce qui s'était passé. On nous servit à souper. Je me mis à table d'un air fort gai; mais à la lumière de la chandelle qui était entre elle et moi, je crus apercevoir de la tristesse sur le visage et dans les yeux de ma chère maîtresse. Cette pensée m'en inspira aussi. Je remarquai que ses regards s'attachaient sur moi d'une autre façon qu'ils n'avaient accoutumé. Je ne pouvais démêler si c'était de l'amour ou de la compassion, quoiqu'il me parût que c'était un sentiment doux et languissant. Je la regardai avec la même attention; et peut-être n'avait-elle pas moins de peine à juger de la situation de mon cœur par mes regards. Nous ne pensions ni à parler, ni à manger. Enfin, je vis tomber des larmes de ses beaux yeux : perfides larmes! « Ah dieux! m'écriai-je, vous pleurez, ma chère Manon; vous êtes affligée jusqu'à pleurer, et vous ne me dites pas un seul mot de vos peines! » Elle ne me répondit que par quelques soupirs qui augmentèrent mon inquiétude. Je me levai en tremblant. Je la conjurai, avec tous les empressements de l'amour, de me découvrir le sujet de ses pleurs; j'en versai moi-même en essuyant les siens; j'étais plus mort que vif. Un barbare aurait été attendri des témoignages de ma douleur et de ma crainte. **(15)** Dans le temps que j'étais ainsi tout occupé d'elle, j'entendis le bruit de plusieurs personnes qui montaient l'escalier. On frappa doucement à la porte. Manon me donna un baiser, et s'échappant de mes bras, elle entra rapidement dans le cabinet, qu'elle ferma aussitôt sur elle. Je me figurai qu'étant un peu en désordre, elle voulait se cacher aux yeux des étrangers qui avaient frappé. J'allai leur ouvrir moi-même. A peine avais-je ouvert, que je me vis saisir par trois hommes, que je reconnus pour les laquais de mon père. Ils ne me firent point de violence; mais deux d'entre eux m'ayant pris par les bras, le troisième visita mes poches, dont il tira un petit couteau

---

**26.** *Prévenir :* prendre les devants.

**QUESTIONS**

**15.** Le chagrin de Manon est-il feint ou sincère? Quels sentiments éprouve-t-elle devant cette scène? En quoi consiste l'incohérence de son comportement? Quels traits de son caractère rendent celui-ci vraisemblable? — Imaginez les questions que se pose des Grieux devant cette scène? Le comportement de Manon est-il de nature à le rassurer ou à l'inquiéter? De quelle faute se sent-il coupable à son égard? Montrez la subtilité et la vérité de l'analyse psychologique dans cette scène.

qui était le seul fer que j'eusse sur moi. Ils me demandèrent pardon de la nécessité où ils étaient de me manquer de respect; ils me dirent naturellement[27] qu'ils agissaient par l'ordre de mon père, et que mon frère aîné m'attendait en bas dans un carrosse. J'étais si troublé, que je me laissai conduire sans résister et sans répondre. Mon frère était effectivement à m'attendre. On me mit dans le carrosse[28], auprès de lui, et le cocher, qui avait ses ordres, nous conduisit à grand train jusqu'à Saint-Denis. Mon frère m'embrassa tendrement, mais il ne me parla point, de sorte que j'eus tout le loisir dont j'avais besoin, pour rêver[29] à mon infortune. **(16)**

[Abasourdi par l'aventure, des Grieux se perd en conjectures sur l'origine des informations de son père à son sujet. Sans opposer de résistance, il se laisse emmener par son frère et ils regagnent en chaise de poste la maison paternelle, où le chevalier est accueilli avec indulgence.]

On se mit à table pour souper; on me railla sur ma conquête d'Amiens, et sur ma fuite avec cette fidèle maîtresse. Je reçus les coups de bonne grâce. J'étais même charmé qu'il me fût permis de m'entretenir de ce qui m'occupait continuellement l'esprit. Mais quelques mots lâchés par mon père me firent prêter l'oreille avec la dernière attention : il parla de perfidie et de service intéressé, rendu par Monsieur de B... Je demeurai interdit en lui entendant prononcer ce nom, et je le priai humblement de s'expliquer davantage. Il se tourna vers mon frère, pour lui demander s'il ne m'avait pas raconté toute l'histoire. Mon frère lui répondit que je lui avais paru si tranquille sur la route, qu'il n'avait pas cru que j'eusse besoin de ce remède pour me guérir de ma folie. Je remarquai que mon père balançait[30] s'il achèverait de s'expliquer. Je l'en suppliai si instamment, qu'il me satisfit, ou plutôt, qu'il m'assassina cruellement par le plus horrible de tous les récits.

Il me demanda d'abord si j'avais toujours eu la simplicité[31] de croire que je fusse aimé de ma maîtresse. Je lui dis hardiment

---

**27.** *Naturellement :* d'une manière très naturelle; **28.** *Carrosse :* voiture de luxe, à quatre roues, suspendue et couverte pour la ville et le voyage; **29.** *Rêver :* méditer profondément; **30.** *Balancer :* voir note 9; **31.** *Simplicité :* voir note 22.

**QUESTIONS**

**16.** Pourquoi Manon s'éclipse-t-elle? Quel sens des Grieux donne-t-il à ce geste? En quoi cela est-il pathétique? Quelles questions le lecteur se pose-t-il à cet endroit du récit?

que j'en étais si sûr que rien ne pouvait m'en donner la moindre défiance. « Ha! ha! ha! s'écria-t-il en riant de toute sa force, cela est excellent! Tu es une jolie dupe, et j'aime à te voir dans ces sentiments-là. C'est grand dommage, mon pauvre Chevalier, de te faire entrer dans l'ordre de Malte, puisque tu as tant de disposition à faire un mari patient et commode. » Il ajouta mille railleries de cette force, sur ce qu'il appelait ma sottise et ma crédulité. Enfin, comme je demeurais dans le silence, il continua de me dire que, suivant le calcul qu'il pouvait faire du temps depuis mon départ d'Amiens, Manon m'avait aimé environ douze jours : « car, ajouta-t-il, je sais que tu partis d'Amiens le 28 de l'autre mois; nous sommes au 29 du présent; il y en a onze que Monsieur de B... m'a écrit; je suppose qu'il lui en ait fallu huit pour lier une parfaite connaissance avec ta maîtresse; ainsi, qui ôte onze et huit de trente-un jours qu'il y a depuis le 28 d'un mois jusqu'au 29 de l'autre, reste douze, un peu plus ou moins ». Là-dessus, les éclats de rire recommencèrent. J'écoutais tout avec un saisissement de cœur auquel j'appréhendais de ne pouvoir résister jusqu'à la fin de cette triste comédie. « Tu sauras donc, reprit mon père, puisque tu l'ignores, que Monsieur de B... a gagné le cœur de ta princesse, car il se moque de moi, de prétendre me persuader que c'est par un zèle désintéressé pour mon service qu'il a voulu te l'enlever. C'est bien d'un homme tel que lui, de qui, d'ailleurs, je ne suis pas connu, qu'il faut attendre des sentiments si nobles! Il a su d'elle que tu es mon fils, et pour se délivrer de tes importunités, il m'a écrit le lieu de ta demeure et le désordre où tu vivais, en me faisant entendre qu'il fallait main-forte pour s'assurer de toi. Il s'est offert de me faciliter les moyens de te saisir au collet, et c'est par sa direction et celle de ta maîtresse même que ton frère a trouvé le moment de te prendre sans vert[32]. Félicite-toi maintenant de la durée de ton triomphe. Tu sais vaincre assez rapidement, Chevalier; mais tu ne sais pas conserver tes conquêtes[33]. » **(17)**

Je n'eus pas la force de soutenir plus longtemps un discours dont chaque mot m'avait percé le cœur. Je me levai de table,

32. *Prendre sans vert :* prendre au dépourvu; 33. Parodie du mot célèbre de Maharbal : « Tu sais vaincre, Hannibal, mais tu ne sais pas profiter de ta victoire » (Tite-Live, XXI).

**QUESTIONS**

Question 17, v. p. 39.

et je n'avais pas fait quatre pas pour sortir de la salle, que je tombai sur le plancher, sans sentiment et sans connaissance. On me les rappela par de prompts secours. J'ouvris les yeux pour verser un torrent de pleurs, et la bouche pour proférer les plaintes les plus tristes et les plus touchantes. Mon père, qui m'a toujours aimé tendrement, s'employa avec toute son affection pour me consoler. Je l'écoutais, mais sans l'entendre. Je me jetai à ses genoux, je le conjurai, en joignant les mains, de me laisser retourner à Paris pour aller poignarder B... « Non, disais-je, il n'a pas gagné le cœur de Manon, il lui a fait violence; il l'a séduite par un charme[34] ou par un poison; il l'a peut-être forcée brutalement. Manon m'aime. Ne le sais-je pas bien? Il l'aura menacée, le poignard à la main, pour la contraindre de m'abandonner. Que n'aura-t-il pas fait pour me ravir une si charmante maîtresse! Ô dieux! dieux! serait-il possible que Manon m'eût trahi, et qu'elle eût cessé de m'aimer! **(18) (19)**

---

**34.** *Charme :* pouvoir magique sur l'esprit.

## QUESTIONS

**17.** Étudiez les éléments qui rendent cette scène particulièrement cruelle et insupportable pour des Grieux : — l'indifférence de son entourage ; montrez comment est suggérée l'atmosphère animée et enjouée de ce dîner et comment se trouve ainsi soulignée la solitude de Des Grieux; — le contenu de la révélation et la manière dont celle-ci est faite; — la maladresse de son père : en quoi consiste le manque de tact de celui-ci? Dans la manière d'évoquer l'aventure de Des Grieux, à quel niveau la rabaisse-t-il et à quel personnage ramène-t-il Manon? L'ironie dont il fait preuve vous paraît-elle de bon goût?

**18.** Les réactions de Des Grieux : montrez l'analogie du comportement de Des Grieux ici avec celui qu'il a eu devant l'évidence de la trahison. Montrez que se succèdent de la même manière désespoir et abattement, puis analysez la manière d'échafauder une explication conforme à l'idée favorable qu'il veut se faire de Manon.

— Soulignez l'influence de la jeunesse et de l'esprit romanesque dans les pensées et le vocabulaire de Des Grieux.

— En quoi l'exclamation finale de Des Grieux, qui lie comme une condition nécessaire l'absence d'amour à la trahison, révèle-t-elle le fossé qui sépare sa conception de l'amour de celle de Manon?

**19.** SUR L'ENSEMBLE DU PASSAGE « PREMIÈRE TRAHISON DE MANON ». — Recherchez les éléments qui pouvaient laisser prévoir une telle trahison de la part de Manon. Dans le passage précédent, quels traits psychologiques permettent d'expliquer l'attitude des deux personnages ici?

— Comment des Grieux, en dépit de sa faiblesse et de son aveuglement, nous est-il rendu sympathique? Rôle de son père, des motifs qui ont déterminé la capture du jeune homme.

[L'ampleur du désespoir de Des Grieux et l'obstination qu'il semble mettre dans son projet de retourner à Paris retrouver Manon et se venger de M. de B... incitent son père à le tenir enfermé. Peu à peu, après avoir vainement cherché le moyen de quitter le toit paternel, des Grieux s'apaise, reprend goût à la lecture et se plonge dans la méditation. Il reçoit de fréquentes visites de Tiberge, dont les conseils et l'exemple le modèrent et le raffermissent, et qui l'incite à embrasser, comme lui, l'état ecclésiastique. Il décide donc de trouver dans cette forme de vie la solitude et l'apaisement dont il a besoin, et bientôt il rejoint son ami au séminaire de Saint-Sulpice, où il est rapidement remarqué pour sa droiture, sa ferveur et son intelligence.]

## [La nouvelle chute.]

Je me croyais absolument délivré des faiblesses de l'amour. Il me semblait que j'aurais préféré la lecture d'une page de Saint-Augustin[35], ou un quart d'heure de méditation chrétienne, à tous les plaisirs des sens, sans excepter ceux qui m'auraient été offerts par Manon. Cependant, un instant malheureux me fit retomber dans le précipice, et ma chute fut d'autant plus irréparable, que me trouvant tout d'un coup au même degré de profondeur d'où j'étais sorti, les nouveaux désordres où je tombai me portèrent bien plus loin vers le fond de l'abîme. **(20)**

J'avais passé près d'un an à Paris, sans m'informer des affaires de Manon. Il m'en avait d'abord coûté beaucoup pour me faire cette violence; mais les conseils toujours pré-

35. *Saint Augustin* (354-430), converti au christianisme par sa mère sainte Monique, devint évêque d'Hippone et le plus grand des Pères de l'Église. Il montra la faiblesse de l'homme dépourvu de la grâce, que Dieu n'accorde qu'à ses élus. C'est sa doctrine qui servit de fondement au mouvement janséniste.

### QUESTIONS

**20.** Structure antithétique de ce paragraphe; sa valeur.
— Caractérisez les formules qu'emploie des Grieux pour faire allusion à sa passion pour Manon; les voies par lesquelles il croit en avoir triomphé. Comment la mention de saint Augustin complète-t-elle cette indication? — Par quels moyens des Grieux laisse-t-il deviner la fragilité de sa victoire?

— Montrez qu'ici encore, avant de commencer le récit d'un épisode, des Grieux en annonce l'issue lamentable. Quel intérêt y a-t-il à avertir ainsi le lecteur? Montrez, en vous reportant aux autres passages où vous l'avez rencontré, que ce procédé, rendu possible par le retour en arrière, donne un ton tragique à tout le roman.

— A quelle image des Grieux a-t-il recours pour montrer le caractère irréversible et fatal de sa déchéance? Montrez que cette image schématise la structure même du roman.

sents de Tiberge, et mes propres réflexions, m'avaient fait obtenir la victoire. Les derniers mois s'étaient écoulés si tranquillement que je me croyais sur le point d'oublier éternellement cette charmante et perfide créature. Le temps arriva auquel je devais soutenir un exercice public dans l'École de Théologie[36]. Je fis prier plusieurs personnes de considération de m'honorer de leur présence. Mon nom fut ainsi répandu dans tous les quartiers de Paris : il alla jusqu'aux oreilles de mon infidèle. Elle ne le reconnut pas avec certitude sous le titre d'abbé; mais un reste de curiosité, ou peut-être quelque repentir de m'avoir trahi (je n'ai jamais pu démêler lequel de ces deux sentiments) lui fit prendre intérêt à un nom si semblable au mien; elle vint en Sorbonne avec quelques autres dames. Elle fut présente à mon exercice, et sans doute qu'elle eut peu de peine à me remettre[37]. **(21)**

Je n'eus pas la moindre connaissance de cette visite. On sait qu'il y a, dans ces lieux, des cabinets particuliers pour les dames, où elles sont cachées derrière une jalousie[38]. Je retournai à Saint-Sulpice, couvert de gloire et chargé de compliments. Il était six heures du soir. On vint m'avertir, un moment après mon retour, qu'une dame demandait à me voir. J'allai au parloir sur-le-champ. Dieux! quelle apparition surprenante! j'y trouvai Manon. C'était elle, mais plus aimable et plus brillante que je ne l'avais jamais vue. Elle était dans sa

---

**36.** Il s'agit d'exercices publics sans valeur probatoire. Il n'est pas question encore pour des Grieux de soutenir les trois thèses qui couronnent les études de bachelier et se passent pendant la quatrième et la cinquième année d'études; **37.** *Remettre :* reconnaître; **38.** *Jalousie :* treillis de fer ou de bois qu'on pose aux fenêtres des maisons ou aux loges des théâtres, et qui permet de voir sans être vu.

## QUESTIONS

**21.** Montrez que ce paragraphe préliminaire suscite la compassion du lecteur :

— par le sens pathétique que prend (du fait qu'on sait quel va être le sort lamentable de Des Grieux) la mention des efforts constants qu'il a fournis, de sa confiance tranquille en son triomphe, de ses succès et de sa gloire;

— grâce au procédé du retour en arrière qui permet à des Grieux de superposer dans son récit la vue partielle qu'il avait de la réalité et les éléments qu'il a découverts par la suite, et de rendre ainsi sensible son aveuglement tragique;

— par l'ironie tragique qui veut que ces exercices publics, consécration de sa victoire sur lui-même et de sa réussite, soient l'occasion de sa nouvelle chute. Comment cette idée est-elle soulignée dans le texte?

dix-huitième année[39]. Ses charmes surpassaient tout ce qu'on peut décrire. C'était un air si fin, si doux, si engageant, l'air de l'Amour même. Toute sa figure me parut un enchantement. **(22)**

Je demeurai interdit à sa vue, et ne pouvant conjecturer quel était le dessein de cette visite, j'attendais, les yeux baissés et avec tremblement, qu'elle s'expliquât. Son embarras fut, pendant quelque temps, égal au mien, mais, voyant que mon silence continuait, elle mit la main devant ses yeux, pour cacher quelques larmes. Elle me dit, d'un ton timide, qu'elle confessait que son infidélité méritait ma haine; mais que, s'il était vrai que j'eusse jamais eu quelque tendresse pour elle, il y avait eu, aussi, bien de la dureté à laisser passer deux ans sans prendre soin de m'informer de son sort, et qu'il y en avait beaucoup encore à la voir dans l'état où elle était en ma présence, sans lui dire une parole. Le désordre de mon âme, en l'écoutant, ne saurait être exprimé.

Elle s'assit. Je demeurai debout, le corps à demi tourné, n'osant l'envisager directement[40]. Je commençai plusieurs fois une réponse, que je n'eus pas la force d'achever. Enfin, je fis un effort pour m'écrier douloureusement : « Perfide Manon! Ah! perfide! perfide! » Elle me répéta, en pleurant à chaudes larmes, qu'elle ne prétendait point justifier sa perfidie. « Que prétendez-vous donc? m'écriai-je encore. — Je prétends mourir, répondit-elle, si vous ne me rendez votre cœur, sans lequel il est impossible que je vive. — Demande donc ma vie, infidèle! repris-je en versant moi-même des pleurs, que je m'efforçai en vain de retenir. Demande ma vie, qui est l'unique chose qui me reste à te sacrifier; car mon cœur n'a jamais cessé d'être à toi. » A peine eus-je achevé ces derniers mots, qu'elle se leva avec transport pour venir m'embrasser. Elle m'accabla de mille caresses passionnées. Elle m'appela par tous les noms que l'amour invente pour exprimer ses plus vives tendresses. Je

---

**39.** Deux ans ont passé entre cette scène et la première rencontre des deux amants. Manon avait donc alors quinze ans et demi, soit un an et demi de moins que des Grieux; **40.** La regarder en face.

## QUESTIONS

**22.** Par quels procédés est rendue l'impression de surprise? Quel est l'intérêt de la mention de l'heure? — Montrez le caractère affectif du portrait de Manon fait par des Grieux, l'absence de tout élément précis ou concret dans ce portrait. Comment se trouve ainsi souligné le bouleversement que la vue de Manon a opéré dans l'âme du chevalier?

n'y répondais encore qu'avec langueur. Quel passage, en effet, de la situation tranquille où j'avais été, aux mouvements tumultueux que je sentais renaître! J'en étais épouvanté. Je frémissais, comme il arrive lorsqu'on se trouve la nuit dans une campagne écartée : on se croit transporté dans un nouvel ordre de choses; on y est saisi d'une horreur[41] secrète, dont on ne se remet qu'après avoir considéré longtemps tous les environs. **(23)**

Nous nous assîmes l'un près de l'autre. Je pris ses mains dans les miennes. « Ah! Manon, lui dis-je en la regardant d'un œil triste, je ne m'étais pas attendu à la noire trahison dont vous avez payé mon amour. Il vous était bien facile de tromper un cœur dont vous étiez la souveraine absolue, et qui mettait toute sa félicité à vous plaire et à vous obéir. Dites-moi maintenant si vous en avez trouvé d'aussi tendres et d'aussi soumis. Non, non, la Nature n'en fait guère de la même trempe que le mien. Dites-moi, du moins, si vous l'avez quelquefois regretté. Quel fond dois-je faire sur ce retour de bonté qui vous ramène aujourd'hui pour le consoler? Je ne vois que trop que vous êtes plus charmante que jamais; mais au nom de toutes les

---

**41.** *Horreur :* (sens classique) sentiment d'effroi qui fait dresser les cheveux sur la tête.

## QUESTIONS

**23.** Analysez la progression de cette scène. Soulignez la montée de l'intensité dramatique et indiquez-en les étapes. Étudiez la manière dont se succèdent les attitudes des deux personnages et montrez qu'elles soulignent les différents moments de la scène. Étudiez également le jeu des « tu » et des « vous ». Rapprochez de la tragédie classique à ce point de vue. — Montrez que c'est Manon qui fait progresser l'entretien :

— Comment, dans un premier temps, suscite-t-elle le dialogue et fait-elle sortir des Grieux de son mutisme? Faites la part du naturel et de l'artifice dans son comportement;

— Comment, ensuite, oriente-t-elle la conversation et précipite-t-elle l'aveu de Des Grieux? Montrez le caractère théâtral que prend ici le dialogue; montrez en particulier comment est exploitée par Prévost la reprise du mot « prétend »;

— Enfin, dans les manifestations de tendresse dont elle accable des Grieux, montrez qu'elle ne lui laisse aucune initiative, qu'elle s'empare de lui avant même qu'il ait pris conscience de ce qui lui arrive, le mettant, pour ainsi dire, devant un fait accompli;

— Opposez à la hardiesse de Manon la passivité de Des Grieux. Montrez le caractère, révélateur à cet égard, de la comparaison qu'il emploie pour suggérer l'état de stupéfaction dans lequel le met cette scène. Comment, dans la manière même dont il raconte et dans les éléments du récit qu'il met en valeur, se manifestent sa faiblesse et son fatalisme?

peines que j'ai souffertes pour vous, belle Manon, dites-moi si vous serez plus fidèle. »

Elle me répondit des choses si touchantes sur son repentir, et elle s'engagea à la fidélité par tant de protestations et de serments, qu'elle m'attendrit à un degré inexprimable. « Chère Manon! lui dis-je, avec un mélange profane d'expressions amoureuses et théologiques, tu es trop adorable pour une créature. Je me sens le cœur emporté par une délectation victorieuse. Tout ce qu'on dit de la liberté à Saint-Sulpice est une chimère. Je vais perdre ma fortune[42] et ma réputation pour toi, je le prévois bien; je lis ma destinée dans tes beaux yeux; mais de quelles pertes ne serai-je pas consolé par ton amour! Les faveurs de la fortune ne me touchent point; la gloire me paraît une fumée; tous mes projets de vie ecclésiastique étaient de folles imaginations; enfin tous les biens différents de ceux que j'espère avec toi sont des biens méprisables, puisqu'ils ne sauraient tenir un moment, dans mon cœur, contre un seul de tes regards. » **(24)**

En lui promettant néanmoins un oubli général de ses fautes, je voulus être informé de quelle manière elle s'était laissée séduire par B... Elle m'apprit que, l'ayant vue à sa fenêtre, il était devenu passionné pour elle; qu'il avait fait sa déclaration en fermier général, c'est-à-dire en lui marquant dans une lettre que le payement serait proportionné aux faveurs; qu'elle avait capitulé d'abord[43], mais sans autre dessein que de tirer de lui quelque somme considérable qui pût servir à nous faire vivre commodément; qu'il l'avait éblouie par de si magnifiques promesses, qu'elle s'était laissée ébranler par degrés; que je devais juger pourtant de ses remords par la douleur dont elle m'avait laissé voir des témoignages, la veille

**42.** *Fortune :* avenir, carrière; **43.** *D'abord :* immédiatement.

**QUESTIONS**

**24.** Manon se donne-t-elle beaucoup de peine pour se justifier? Que pensez-vous des assurances de fidélité qu'elle donne à des Grieux? Des Grieux n'était-il pas, en fait, prêt d'avance à rendre sa confiance à Manon, quoi qu'elle dise? Montrez-le à l'aide d'un exemple précis.

Le langage de la passion chez des Grieux : montrez la différence entre le vocabulaire de ses deux tirades. — Relevez, dans les termes de la première tirade, des traits traditionnels de galanterie et de préciosité. — Dans la seconde tirade, montrez l'utilisation qui est faite du vocabulaire et des thèmes de la pensée janséniste. Quel effet d'ironie y a-t-il dans l'utilisation, ici, d'un vocabulaire théologique?

de notre séparation; que, malgré l'opulence dans laquelle il l'avait entretenue, elle n'avait jamais goûté de bonheur avec lui, non seulement parce qu'elle n'y trouvait point, me dit-elle, la délicatesse de mes sentiments et l'agrément de mes manières, mais parce qu'au milieu même des plaisirs qu'il lui procurait sans cesse, elle portait, au fond du cœur, le souvenir de mon amour, et le remords de son infidélité. Elle me parla de Tiberge et de la confusion extrême que sa visite lui avait causée. « Un coup d'épée dans le cœur, ajouta-t-elle, m'aurait moins ému le sang. » Je lui tournai le dos, sans pouvoir soutenir un moment sa présence. Elle continua de me raconter par quels moyens elle avait été instruite de mon séjour à Paris, du changement de ma condition, et de mes exercices de Sorbonne. Elle m'assura qu'elle avait été si agitée, pendant la dispute[44], qu'elle avait eu beaucoup de peine, non seulement à retenir ses larmes, mais ses gémissements mêmes et ses cris, qui avaient été plus d'une fois sur le point d'éclater. Enfin, elle me dit qu'elle était sortie de ce lieu la dernière, pour cacher son désordre, et que, ne suivant que le mouvement de son cœur et l'impétuosité de ses désirs, elle était venue droit au séminaire, avec la résolution d'y mourir si elle ne me trouvait pas disposé à lui pardonner.

Où trouver un barbare qu'un repentir si vif et si tendre n'eût pas touché? Pour moi, je sentis, dans ce moment, que j'aurais sacrifié pour Manon tous les évêchés du monde chrétien. Je lui demandai quel nouvel ordre elle jugeait à propos de mettre dans nos affaires. Elle me dit qu'il fallait sur-le-champ sortir du séminaire, et remettre[45] à nous arranger dans un lieu plus sûr. Je consentis à toutes ses volontés sans réplique. Elle entra dans son carrosse, pour aller m'attendre au coin de la rue. Je m'échappai un moment après, sans être aperçu du portier. Je montai avec elle. Nous passâmes à la friperie[46]. Je repris les galons et l'épée. Manon fournit aux frais, car j'étais sans un sou; et dans la crainte que je ne trouvasse de l'obstacle à ma sortie de Saint-Sulpice, elle n'avait pas voulu que je retournasse un moment à ma chambre pour y prendre mon argent. Mon trésor, d'ailleurs, était médiocre, et elle assez riche des libéralités de B... pour mépriser ce qu'elle me faisait abandonner. Nous conférâmes, chez le fripier même, sur le

---

**44.** *La dispute :* débat dans lequel l'assistance était invitée à argumenter contre celui qui venait de soutenir l'exercice; **45.** *Remettre :* différer; **46.** *Friperie :* ce terme désigne un « lieu où l'on vendait toutes sortes d'habits, soit vieux, soit neufs ».

Phot. B. N.

**Manon et son frère.**

**Dessin de Maurice Leloir pour une édition du roman de 1885.**

parti que nous allions prendre. Pour me faire valoir davantage le sacrifice qu'elle me faisait de B..., elle résolut de ne pas garder avec lui le moindre ménagement. « Je veux lui laisser ses meubles, me dit-elle, ils sont à lui; mais j'emporterai, comme de justice, les bijoux et près de soixante mille francs que j'ai tirés de lui depuis deux ans. Je ne lui ai donné nul pouvoir sur moi, ajouta-t-elle; ainsi nous pouvons demeurer sans crainte à Paris, en prenant une maison commode où nous vivrons heureusement. » (25) Je lui représentai que, s'il n'y avait point de péril pour elle, il y en avait beaucoup pour moi, qui ne manquerais point tôt ou tard d'être reconnu, et qui serais continuellement exposé au malheur que j'avais déjà essuyé. Elle me fit entendre[47] qu'elle aurait du regret à quitter Paris. Je craignais tant de la chagriner, qu'il n'y avait point de hasards[48] que je ne méprisasse pour lui plaire; cependant, nous trouvâmes un tempérament[49] raisonnable, qui fut de louer une maison dans quelque village voisin de Paris, d'où il nous serait aisé d'aller à la ville lorsque le plaisir ou le besoin nous y appellerait. Nous choisîmes Chaillot[50], qui n'en est pas éloigné. Manon retourna sur-le-champ chez elle. J'allai l'attendre à la petite porte du jardin des Tuileries. Elle revint une heure après, dans un carrosse de louage, avec une fille qui la servait, et quelques malles où ses habits et tout ce qu'elle avait de précieux était renfermé.

Nous ne tardâmes point à gagner Chaillot. Nous logeâmes la première nuit à l'auberge, pour nous donner le temps de

---

47. *Entendre :* comprendre; 48. *Hasard :* risque; 49. *Tempérament :* moyen terme, accommodement; 50. Chaillot est alors un petit village indépendant de Paris, auquel il ne sera incorporé qu'en 1786.

## QUESTIONS

25. Montrez que les précisions apportées par Manon sur son aventure avec M. de B... ont un double intérêt :

— En quoi, en effet, satisfont-elles la curiosité du lecteur? Quels points restaient encore dans l'ombre?

— Quelles révélations nous apportent-elles sur le caractère de Manon? Comment se manifeste, dans la manière dont elle raconte et dont elle envisage cette liaison, son amoralité tranquille?

— L'organisation de la fuite : montrez que c'est encore Manon qui décide tout ici. De quelles qualités fait-elle preuve? Montrez la place importante faite aux précisions matérielles. Quelle en est la signification par rapport au dessin général de l'œuvre?

— Soulignez l'analogie de cette évasion avec la première fuite de Manon et de Des Grieux.

chercher une maison, ou du moins un appartement commode. Nous en trouvâmes, dès le lendemain, un de notre goût. **(26) (27)**

### [Les premiers désordres. — Le jeu.]

Mon bonheur me parut d'abord établi d'une manière inébranlable. Manon était la douceur et la complaisance même. Elle avait pour moi des attentions si délicates, que je me crus trop parfaitement dédommagé de toutes mes peines. Comme nous avions acquis tous deux un peu d'expérience, nous raisonnâmes sur la solidité de notre fortune. Soixante mille francs, qui faisaient le fond de nos richesses, n'étaient pas une somme qui pût s'étendre autant que le cours d'une longue vie. Nous n'étions pas disposés d'ailleurs à resserrer trop notre dépense. La première vertu de Manon, non plus que la mienne, n'était pas l'économie. Voici le plan que je me proposai : « Soixante mille francs, lui dis-je, peuvent nous soutenir pendant dix ans. Deux mille écus[51] nous suffiront chaque année, si nous continuons de vivre à Chaillot. Nous y mènerons une vie honnête[52], mais simple. Notre unique dépense sera pour l'entretien d'un carrosse, et pour les spectacles. Nous nous réglerons[53]. Vous aimez l'Opéra[54] : nous irons deux fois la semaine. Pour le jeu, nous nous bornerons tellement que nos pertes ne passeront jamais deux pistoles[55]. Il est impossible que, dans l'espace de

---

**51.** Un écu valait trois francs, une pistole dix francs; **52.** *Honnête :* aisée; **53.** *Se régler :* se discipliner; **54.** *Opéra :* théâtre et académie royale de musique, fondé en 1671; il occupait la place de l'actuelle Comédie-Française; ce théâtre, en vogue à l'époque, abritait également les fameux « bals de l'Opéra », luxueux et licencieux; **55.** La somme que le budget de Des Grieux affecte aux spectacles et au jeu représente les deux tiers à peu près de la dépense annuelle à laquelle il entend se borner.

#### QUESTIONS

**26.** Pour quelles raisons Manon ne veut-elle pas quitter Paris? Quel trait de son caractère se trouve confirmé par ce désir? Quel risque est-elle prête à faire courir à des Grieux pour cela? Quelle physionomie prend ainsi l'amour qu'elle porte à des Grieux? Montrez-en le caractère égoïste.

**27.** Sur l'ensemble de l'épisode « La nouvelle chute ». — Montrez l'analogie de cet épisode et de la première rencontre entre Manon et des Grieux. Ressemblances. Différences. Quelle est la signification des différences? Sommes-nous, à la fin de cet épisode, ramenés au même point qu'à la fin du premier? Quelle évolution s'est produite? De quel nouveau péché des Grieux se trouve-t-il chargé?

— Les événements passés ne rendent-ils pas tragique cette partie du récit et ne l'alourdissent-ils pas de menaces?

dix ans, il n'arrive point de changement dans ma famille; mon père est âgé, il peut mourir. Je me trouverai du bien, et nous serons alors au-dessus de toutes nos autres craintes. » **(28)**

Cet arrangement n'eût pas été la plus folle action de ma vie, si nous eussions été assez sages pour nous y assujettir constamment. Mais nos résolutions ne durèrent guère plus d'un mois. Manon était passionnée pour le plaisir; je l'étais pour elle. Il nous naissait, à tous moments, de nouvelles occasions de dépense; et loin de regretter les sommes qu'elle employait quelquefois avec profusion, je fus le premier à lui procurer tout ce que je croyais propre à lui plaire. Notre demeure de Chaillot commença même à lui devenir à charge. L'hiver approchait; tout le monde retournait à la ville, et la campagne devenait déserte. Elle me proposa de reprendre une maison à Paris. Je n'y consentis point; mais, pour la satisfaire en quelque chose, je lui dis que nous pouvions y louer un appartement meublé, et que nous y passerions la nuit lorsqu'il nous arriverait de quitter trop tard l'assemblée[56] où nous allions plusieurs fois la semaine; car l'incommodité de revenir si tard à Chaillot était le prétexte qu'elle apportait pour le vouloir quitter. Nous nous donnâmes ainsi deux logements, l'un à la ville, et l'autre à la campagne. Ce changement mit bientôt le dernier désordre dans nos affaires, en faisant naître deux aventures qui causèrent notre ruine. **(29)**

---

56. *Assemblée :* ce terme désigne ici un groupe d'habitués qui se réunit régulièrement pour s'adonner au jeu ou à d'autres divertissements. Il existait de nombreux cercles de ce genre sous la Régence.

## QUESTIONS

**28.** Quelles leçons Manon et des Grieux tirent-ils de leurs précédentes aventures? Montrez cependant en quoi ils manquent de prudence dans l'organisation de leur vie. Quels sont en particulier les chapitres de leur budget qui semblent peu compatibles avec une « planification » rationnelle de leurs dépenses? Précisez l'espoir sur lequel se fonde la confiance de Des Grieux en l'avenir. Le cynisme de cette pensée ne nous surprend-il pas de sa part? Quels événements peuvent l'expliquer et même le justifier et l'excuser?

**29.** Les complications qui surgissent nous surprennent-elles? Quelles menaces étaient contenues dans la description du bonheur des deux amants?

— Pourquoi des Grieux cède-t-il à tous les caprices de Manon? Quelle phrase, dans ce passage, souligne bien le rapport de forces entre les deux héros.

Manon avait un frère, qui était garde du corps[57]. Il se trouva malheureusement logé, à Paris, dans la même rue que nous. Il reconnut sa sœur, en la voyant le matin à sa fenêtre. Il accourut aussitôt chez nous. C'était un homme brutal et sans principes d'honneur. Il entra dans notre chambre en jurant horriblement, et comme il savait une partie des aventures de sa sœur, il l'accabla d'injures et de reproches. J'étais sorti un moment auparavant, ce qui fut sans doute un bonheur pour lui ou pour moi, qui n'étais rien moins que disposé à souffrir une insulte. Je ne retournai au logis qu'après son départ. La tristesse de Manon me fit juger qu'il s'était passé quelque chose d'extraordinaire. Elle me raconta la scène fâcheuse qu'elle venait d'essuyer, et les menaces brutales de son frère. J'en eus tant de ressentiment[58], que j'eusse couru sur-le-champ à la vengeance si elle ne m'eût arrêté par ses larmes. Pendant que je m'entretenais avec elle de cette aventure, le garde du corps rentra dans la chambre où nous étions, sans s'être fait annoncer. Je ne l'aurais pas reçu aussi civilement que je fis si je l'eusse connu; mais, nous ayant salués d'un air riant, il eut le temps de dire à Manon qu'il venait lui faire des excuses de son emportement; qu'il l'avait crue dans le désordre, et que cette opinion avait allumé sa colère; mais que, s'étant informé qui j'étais, d'un de nos domestiques, il avait appris de moi des choses si avantageuses, qu'elles lui faisaient désirer de bien vivre avec nous. Quoique cette information, qui lui venait d'un de mes laquais, eût quelque chose de bizarre et de choquant, je reçus son compliment[59] avec honnêteté[60]. Je crus faire plaisir à Manon. Elle paraissait charmée de le voir porté à se réconcilier. Nous le retînmes à dîner. Il se rendit, en peu de moments, si familier, que nous ayant entendus parler de notre retour à Chaillot, il voulut absolument nous tenir compagnie. Il fallut lui donner une place dans notre carrosse. Ce fut une prise de possession, car il s'accoutuma bientôt à nous voir avec tant de plaisir, qu'il fit sa maison de la nôtre et qu'il se rendit le maître, en quelque sorte, de tout ce qui nous appartenait. Il m'appelait son frère, et sous prétexte de la liberté fraternelle, il se mit sur le pied d'amener tous ses amis dans notre maison de Chaillot, et de les y traiter à nos

57. Les *gardes du corps*, à cette époque, formaient quatre compagnies de 360 hommes chacune. Ils avaient la réputation d'être débauchés, brutaux et sans scrupule; 58. *Ressentiment :* sentiment (ici de colère) éprouvé en réaction; 59. *Compliment :* paroles qu'on dit à quelqu'un qu'on veut honorer; 60. *Honnêteté :* ici « civilité ».

dépens. Il se fit habiller magnifiquement à nos frais. Il nous engagea même à payer toutes ses dettes. Je fermais les yeux sur cette tyrannie, pour ne pas déplaire à Manon, jusqu'à feindre de ne pas m'apercevoir qu'il tirait d'elle, de temps en temps, des sommes considérables. Il est vrai, qu'étant grand joueur, il avait la fidélité[61] de lui en remettre une partie lorsque la fortune le favorisait; mais la nôtre était trop médiocre pour fournir longtemps à des dépenses si peu modérées. J'étais sur le point de m'expliquer fortement avec lui, pour nous délivrer de ses importunités, lorsqu'un funeste accident m'épargna cette peine, en nous en causant une autre qui nous abîma[62] sans ressource. **(30)**

Nous étions demeurés un jour à Paris, pour y coucher, comme il nous arrivait fort souvent. La servante, qui restait seule à Chaillot dans ces occasions, vint m'avertir, le matin, que le feu avait pris, pendant la nuit, dans ma maison, et qu'on avait eu beaucoup de difficulté à l'éteindre. Je lui demandai si nos meubles avaient souffert quelque dommage; elle me répondit qu'il y avait eu une si grande confusion, causée par

---

**61.** *Fidélité :* ici « loyauté »; **62.** *Abîmer :* précipiter dans l'abîme.

## QUESTIONS

**30.** Le portrait de Lescaut : comment sont suggérés dès les premières lignes la brutalité et le sans-gêne du personnage? Montrez la rapidité avec laquelle se succèdent les indépendantes de même structure, l'abondance des verbes d'action et la place faite aux précisions sur le langage de Lescaut. En quoi le genre du personnage est-il annoncé par l'indication de sa profession? Soulignez la vulgarité de son comportement avec sa sœur.

— Le revirement de Lescaut à l'égard de Des Grieux le rend-il plus sympathique? Quels sont, en effet, les mobiles de ce revirement? Quelles sont les sources de son information? Quels traits défavorables se trouvent ainsi ajoutés au portrait?

— Le « parasitisme » de Lescaut : montrez la vivacité et l'humour de cette partie du portrait; étudiez le jeu des pronoms personnels et possessifs, et montrez-en l'habileté.

Soulignez le caractère inéluctable et progressif de cet envahissement, d'abord occasionnel, puis état de fait, qui cherche d'abord le prétexte de l'affection, puis qui n'a même plus besoin de se justifier.

— Rapprochez ce personnage d'un autre parasite célèbre de la littérature du XVIII$^{e}$ siècle : le neveu de Rameau.

— Pourquoi des Grieux s'étend-il tellement sur le portrait de Lescaut? Quel rôle ce personnage va-t-il jouer dans le roman? Quel intérêt y a-t-il pour des Grieux à se décharger ainsi sur lui d'une partie de ses responsabilités dans les événements qui vont suivre?

la multitude d'étrangers qui étaient venus au secours, qu'elle ne pouvait être assurée de rien. Je tremblai pour notre argent, qui était renfermé dans une petite caisse. Je me rendis promptement à Chaillot. Diligence inutile; la caisse avait déjà disparu. J'éprouvai alors qu'on peut aimer l'argent sans être avare. Cette perte me pénétra d'une si vive douleur que j'en pensai perdre la raison. Je compris tout d'un coup à quels nouveaux malheurs j'allais me trouver exposé; l'indigence était le moindre. Je connaissais Manon; je n'avais déjà que trop éprouvé que, quelque fidèle et quelque attachée qu'elle me fût dans la bonne fortune, il ne fallait pas compter sur elle dans la misère. Elle aimait trop l'abondance et les plaisirs pour me les sacrifier : « Je la perdrai, m'écriai-je. Malheureux Chevalier, tu vas donc perdre encore tout ce que tu aimes! » Cette pensée me jeta dans un trouble si affreux, que je balançai[63], pendant quelques moments, si je ne ferais pas mieux de finir tous mes maux par la mort. **(31)**

[Ne sachant comment réparer sa fortune, des Grieux va consulter Lescaut; celui-ci commence par lui suggérer des procédés qui répugnent à l'esprit droit et scrupuleux du chevalier; puis il est question du jeu.]

Je lui parlai du jeu, comme du moyen le plus facile, et le plus convenable à ma situation. Il me dit que le jeu, à la vérité, était une ressource, mais que cela demandait d'être expliqué; qu'entreprendre de jouer simplement, avec les espérances communes, c'était le vrai moyen d'achever ma perte; que de prétendre exercer seul, et sans être soutenu, les petits moyens qu'un habile homme emploie pour corriger la fortune, était un métier trop dangereux; qu'il y avait une troisième voie, qui était celle de l'association, mais que ma jeunesse lui faisait craindre que messieurs les Confédérés[64] ne me jugeassent point encore les qualités propres à la Ligue. Il me promit néanmoins ses bons offices auprès d'eux; et ce que je n'aurais pas attendu

63. *Balancer :* ici, « se demander avec incertitude »; **64.** Il s'agit d'une association de tricheurs professionnels. On les désignait par toute une série d'euphémismes ironiques (voir plus bas : la Ligue).

## QUESTIONS

**31.** Cette intrusion du hasard dans la destinée de Des Grieux vous semble-t-elle modifier artificiellement les données de l'intrigue? Montrez que cet événement agit comme un révélateur, en précipitant une crise qui était sous-jacente.

— En quoi la lucidité de Des Grieux sur Manon est-elle pathétique?

de lui, il m'offrit quelque argent, lorsque je me trouverais pressé du besoin. L'unique grâce que je lui demandai, dans les circonstances, fut de ne rien apprendre à Manon de la perte que j'avais faite, et du sujet de notre conversation.

Je sortis de chez lui, moins satisfait encore que je n'y étais entré; je me repentis même de lui avoir confié mon secret. Il n'avait rien fait, pour moi, que je n'eusse pu obtenir de même sans cette ouverture, et je craignais mortellement qu'il ne manquât à la promesse qu'il m'avait faite de ne rien découvrir à Manon. **(32)**

[Désappointé par cet entretien, des Grieux envisage d'autres solutions qui se révèlent toutes irréalisables; enfin, il croit en avoir trouvé une.]

Enfin, cette confusion de pensées en produisit une qui remit le calme tout d'un coup dans mon esprit, et que je m'étonnai de n'avoir pas eue plus tôt, ce fut de recourir à mon ami Tiberge, dans lequel j'étais bien certain de retrouver toujours le même fond de zèle et d'amitié. Rien n'est plus admirable, et ne fait plus d'honneur à la vertu, que la confiance avec laquelle on s'adresse aux personnes dont on connaît parfaitement la probité. On sent qu'il n'y a point de risque à courir. Si elles ne sont pas toujours en état d'offrir du secours, on est sûr qu'on en obtiendra du moins de la bonté et de la compassion. Le cœur, qui se ferme avec tant de soin au reste des hommes, s'ouvre naturellement en leur présence, comme une fleur s'épanouit à la lumière du soleil, dont elle n'attend qu'une douce influence[65]. [...] **(33)**

65. *Influence :* action qui viendrait des astres, dont le fluide se répandrait sur la terre.

## QUESTIONS

**32.** Pourquoi le jeu représente-t-il pour des Grieux le meilleur moyen de se procurer de l'argent? Montrez qu'il lui permet de concilier son goût pour la facilité et son aversion pour les compromissions.

— Pourquoi, en conséquence, la réponse de Lescaut ne peut-elle que décevoir des Grieux? Montrez-en le cynisme. En quoi consiste l'humour de Prévost dans ce passage? Montrez l'opposition entre le style magistral de la leçon et le caractère trivial et scandaleux de son contenu.

**33.** Recherchez les raisons pour lesquelles des Grieux a recours à Tiberge. Quelle garantie présentera nécessairement un secours venant de lui? Que pensez-vous de ce besoin qu'éprouve des Grieux de garder les mains nettes tout en jouissant des avantages que procure la facilité? Cela rend-il le personnage sympathique ou antipathique?

Je l'avais prié de se trouver au jardin du Palais-Royal[66]. Il y était avant moi. Il vint m'embrasser, aussitôt qu'il m'eut aperçu. Il me tint serré longtemps entre ses bras, et je sentis mon visage mouillé de ses larmes. Je lui dis que je ne me présentais à lui qu'avec confusion, et que je portais dans le cœur un vif sentiment de mon ingratitude; que la première chose dont je le conjurais était de m'apprendre s'il m'était encore permis de le regarder comme mon ami, après avoir mérité si justement de perdre son estime et son affection. Il me répondit, du ton le plus tendre, que rien n'était capable de le faire renoncer à cette qualité; que mes malheurs mêmes, et si je lui permettais de le dire, mes fautes et mes désordres, avaient redoublé sa tendresse pour moi; mais que c'était une tendresse mêlée de la plus vive douleur, telle qu'on la sent pour une personne chère, qu'on voit toucher à sa perte sans pouvoir la secourir.

Nous nous assîmes sur un banc. « Hélas! lui dis-je, avec un soupir parti du fond du cœur, votre compassion doit être excessive, mon cher Tiberge, si vous m'assurez qu'elle est égale à mes peines. J'ai honte de vous les laisser voir, car je confesse que la cause n'en est pas glorieuse, mais l'effet en est si triste qu'il n'est pas besoin de m'aimer autant que vous faites pour en être attendri. » Il me demanda, comme une marque d'amitié, de lui raconter sans déguisement ce qui m'était arrivé depuis mon départ de Saint-Sulpice. Je le satisfis; et loin d'altérer quelque chose à la vérité, ou de diminuer mes fautes pour les faire trouver plus excusables, je lui parlai de ma passion avec toute la force qu'elle m'inspirait. Je la lui représentai comme un de ces coups particuliers du destin qui s'attache à la ruine d'un misérable[67], et dont il est aussi impossible à la vertu de se défendre qu'il l'a été à la sagesse de les prévoir. Je lui fis une vive peinture de mes agitations, de mes craintes, du désespoir où j'étais deux heures avant que de le voir, et de celui dans lequel j'allais retomber, si j'étais abandonné par mes amis aussi impitoyablement que par la fortune; enfin, j'attendris tellement le bon Tiberge, que je le vis aussi affligé par la compassion que je l'étais par le sentiment de mes

---

**66.** Le *Palais-Royal* avait été donné par Louis XIV à Philippe d'Orléans. Lorsque celui-ci devint régent, ce palais fut le centre d'une vie mondaine particulièrement brillante et connut de nombreuses fêtes licencieuses. Son jardin était « l'un des mieux plantés, des mieux fréquentés et des mieux entretenus de cette ville »; **67.** *Misérable :* malheureux au point de vue moral.

peines. Il ne se lassait point de m'embrasser, et de m'exhorter à prendre du courage et de la consolation, mais, comme il supposait toujours qu'il fallait me séparer de Manon, je lui fis entendre nettement que c'était cette séparation même que je regardais comme la plus grande de mes infortunes, et que j'étais disposé à souffrir, non seulement le dernier excès de la misère, mais la mort la plus cruelle, avant que de recevoir un remède plus insupportable que tous mes maux ensemble.

« Expliquez-vous donc, me dit-il : quelle espèce de secours suis-je capable de vous donner, si vous vous révoltez contre toutes mes propositions? » Je n'osais lui déclarer que c'était de sa bourse que j'avais besoin. Il le comprit pourtant à la fin, et m'ayant confessé qu'il croyait m'entendre[68], il demeura quelque temps suspendu, avec l'air d'une personne qui balance[69]. « Ne croyez pas, reprit-il bientôt, que ma rêverie[70] vienne d'un refroidissement de zèle et d'amitié. Mais à quelle alternative me réduisez-vous, s'il faut que je vous refuse le seul secours que vous voulez accepter, ou que je blesse mon devoir en vous l'accordant? car n'est-ce pas prendre part à votre désordre, que de vous y faire persévérer? Cependant, continua-t-il après avoir réfléchi un moment, je m'imagine que c'est peut-être l'état violent où l'indigence vous jette, qui ne vous laisse pas assez de liberté pour choisir le meilleur parti; il faut un esprit tranquille pour goûter la sagesse et la vérité. Je trouverai le moyen de vous faire avoir quelque argent. Permettez-moi, mon cher Chevalier, ajouta-t-il en m'embrassant, d'y mettre seulement une condition : c'est que vous m'apprendrez le lieu de votre demeure, et que vous souffrirez que je fasse du moins mes efforts pour vous ramener à la vertu, que je sais que vous aimez, et dont il n'y a que la violence de vos passions qui vous écarte. » Je lui accordai sincèrement tout ce qu'il souhaitait, et je le priai de plaindre la malignité[71] de mon sort, qui me faisait profiter si mal des conseils d'un ami si vertueux. Il me mena aussitôt chez un banquier de sa connaissance, qui m'avança cent pistoles sur son billet[72], car il n'était rien moins qu'en argent comptant. J'ai déjà dit qu'il n'était pas riche. Son bénéfice[73] valait mille écus, mais, comme c'était la première année

---

**68.** *Entendre :* voir note 47; **69.** *Balancer :* voir note 9; **70.** *Rêverie :* action de l'esprit qui pense, rêve et songe profondément à quelque chose; **71.** *Malignité :* méchanceté; **72.** Le *billet à ordre* est une pièce signée par laquelle on s'engage à payer une certaine somme d'argent; **73.** *Bénéfice :* revenu inséparable d'un titre ou d'une dignité ecclésiastique.

Phot. B. N.

« Voyez, monsieur, lui dit-elle,
regardez-vous bien, et rendez-moi justice... » (p. 95).

Dessin et gravure de J. J. Pasquier.

qu'il le possédait, il n'avait encore rien touché du revenu : c'était sur les fruits futurs qu'il me faisait cette avance.

Je sentis tout le prix de sa générosité. J'en fus touché, jusqu'au point de développer[74] l'aveuglement d'un amour fatal qui me faisait violer tous les devoirs. La vertu eut assez de force pendant quelques moments pour s'élever dans mon cœur contre ma passion, et j'aperçus du moins, dans cet instant de lumière, la honte et l'indignité de mes chaînes. Mais ce combat fut léger et dura peu. La vue de Manon m'aurait fait précipiter du ciel, et je m'étonnai, en me retrouvant près d'elle, que j'eusse pu traiter un moment de honteuse une tendresse si juste pour un objet si charmant. **(34)**

Manon était une créature d'un caractère extraordinaire. Jamais fille n'eut moins d'attachement qu'elle pour l'argent, mais elle ne pouvait être tranquille un moment, avec la crainte d'en manquer. C'était du plaisir et des passe-temps qu'il lui fallait. Elle n'eût jamais voulu toucher un sou, si l'on pouvait se divertir sans qu'il en coûte. Elle ne s'informait pas même quel était le fonds de nos richesses, pourvu qu'elle pût passer agréablement la journée, de sorte que, n'étant ni excessivement livrée au jeu ni capable d'être éblouie par le faste des grandes dépenses, rien n'était plus facile que de la satisfaire, en lui faisant naître tous les jours des amusements de son goût. Mais c'était une chose si nécessaire pour elle, d'être ainsi occupée par le plaisir, qu'il n'y avait pas le moindre fond à faire, sans cela, sur son humeur et sur ses inclinations. Quoiqu'elle m'aimât tendrement, et que je fusse le seul, comme elle

---

74. *Développer* : voir note 25.

## QUESTIONS

34. De quand date la dernière entrevue des deux amis? Que s'est-il passé depuis? Que peut en conséquence redouter des Grieux?

— Montrez le caractère théâtral de cette scène; appréciez en particulier la signification des manifestations voyantes d'affection auxquelles se livrent d'abord les deux amis.

— En quoi le refus de Tiberge puis son acceptation d'aider des Grieux sont-ils également deux marques de générosité? — Par quel raisonnement arrive-t-il à se persuader qu'il peut aider son ami sans porter la responsabilité de sa perte?

— Relevez les éléments pathétiques de cette scène. Comment s'y trouve complété le portrait de Tiberge? et celui de Des Grieux?

— Intérêt de cette scène? Ses répercussions sur l'intrigue? Quel effet a recherché Prévost en faisant apparaître Tiberge au moment où des Grieux va accepter de se souiller d'une nouvelle tache?

en convenait volontiers, qui pût lui faire goûter parfaitement les douceurs de l'amour, j'étais presque certain que sa tendresse ne tiendrait point contre de certaines craintes. Elle m'aurait préféré à toute la terre avec une fortune médiocre[75]; mais je ne doutais nullement qu'elle ne m'abandonnât pour quelque nouveau B... lorsqu'il ne me resterait que de la constance et de la fidélité à lui offrir. Je résolus donc de régler si bien ma dépense particulière que je fusse toujours en état de fournir aux siennes, et de me priver plutôt de mille choses nécessaires que de la borner même pour le superflu. Le carrosse m'effrayait plus que tout le reste; car il n'y avait point d'apparence de pouvoir entretenir des chevaux et un cocher. **(35)** Je découvris ma peine à M. Lescaut. Je ne lui avais point caché que j'eusse reçu cent pistoles d'un ami. Il me répéta que, si je voulais tenter le hasard du jeu, il ne désespérait point qu'en sacrifiant de bonne grâce une centaine de francs pour traiter ses associés, je ne pusse être admis, à sa recommandation, dans la Ligue de l'Industrie[76]. Quelque répugnance que j'eusse à tromper, je me laissai entraîner par une cruelle nécessité. **(36)**

M. Lescaut me présenta, le soir même, comme un de ses parents, il ajouta que j'étais d'autant mieux disposé à réussir, que j'avais besoin des plus grandes faveurs de la fortune. Cependant, pour faire connaître que ma misère n'était pas celle d'un homme de néant, il leur dit que j'étais dans le dessein de leur donner à souper. L'offre fut acceptée. Je les traitai

---

75. *Médiocre :* (sens étymologique) « moyenne »; 76. La *Ligue de l'Industrie :* voir note 64; le terme *Industrie* désigne les différents moyens de tricher au jeu.

## QUESTIONS

**35.** Le portrait de Manon : nous apporte-t-il des éléments nouveaux? Comment sa place se justifie-t-elle cependant ici? Montrez que des Grieux en fait une sorte d'excuse à l'oubli des recommandations de Tiberge et de justification de son attitude à venir. Soulignez, en effet, que celui-ci présente ses désordres comme une conséquence nécessaire de son amour pour Manon. Mettez en évidence sa mauvaise foi; est-elle consciente? Quelle solution possible aux difficultés de sa situation refuse-t-il d'envisager? — Pourquoi, malgré son amour pour l'argent, Manon n'est-elle pas antipathique? Quel trait de caractère rachète, d'autre part, sa légèreté à l'égard de Des Grieux?

**36.** C'est maintenant des Grieux qui sollicite lui-même de Lescaut ce qu'il avait refusé avec hauteur précédemment; dégagez la signification psychologique de ce revirement; accepte-t-il cependant pleinement la responsabilité de sa décision? Montrez qu'il s'abrite derrière la fatalité; quels traits nobles et moins nobles de son caractère sont ainsi mis en lumière?

magnifiquement. On s'entretint longtemps de la gentillesse de ma figure et de mes heureuses dispositions. On prétendit qu'il y avait beaucoup à espérer de moi, parce qu'ayant quelque chose dans la physionomie qui sentait l'honnête homme, personne ne se défierait de mes artifices. Enfin, on rendit grâces à M. Lescaut d'avoir procuré à l'Ordre[77] un novice de mon mérite, et l'on chargea un des chevaliers de me donner, pendant quelques jours, les instructions nécessaires. Le principal théâtre de mes exploits devait être l'hôtel de Transylvanie[78], où il y avait une table de pharaon[79] dans une salle et divers autres jeux de cartes et de dés dans la galerie. Cette académie se tenait au profit de M. le prince de R..., qui demeurait alors à Clagny, et la plupart de ses officiers étaient de notre société. Le dirai-je à ma honte? Je profitai en peu de temps des leçons de mon maître. J'acquis surtout beaucoup d'habileté à faire une volte-face[80], à filer la carte, et m'aidant fort bien d'une longue paire de manchettes, j'escamotais assez légèrement pour tromper les yeux des plus habiles, et ruiner sans affectation quantité d'honnêtes joueurs. Cette adresse extraordinaire hâta si fort les progrès de ma fortune, que je me trouvai en peu de semaines des sommes considérables, outre celles que je partageais de bonne foi avec mes associés. Je ne craignis plus, alors, de découvrir à Manon notre perte de Chaillot, et, pour la consoler, en lui apprenant cette fâcheuse nouvelle, je louai une maison garnie, où nous nous établîmes avec un air d'opulence et de sécurité. **(37)**

Tiberge n'avait pas manqué, pendant ce temps-là, de me rendre de fréquentes visites. Sa morale ne finissait point. Il recommençait sans cesse à me représenter le tort que je faisais

---

**77.** *Ordre, novice, chevalier :* expressions empruntées au vocabulaire de l'ordre de Malte et qui désignent ici de manière ironique l'organisation de tricheurs et les membres de cette association; **78.** L'*hôtel de Transylvanie*, qui existe toujours, est situé au 9 du quai Malaquais. C'était un des hauts lieux du jeu sous la Régence; **79.** Le *pharaon* est un jeu qui oppose un banquier à un nombre illimité de « ponts », ou joueurs. Il ressemble au baccara; *académie :* nom couramment donné alors aux maisons de jeu; **80.** « *Faire une volte-face* », « *filer la carte* » : termes techniques qui indiquent différentes passes du tricheur.

## QUESTIONS

**37.** Des Grieux rappelle ici l'air d'honnêteté et de pureté qui se dégage de son visage : quel est l'intérêt de ce détail pour le roman? Quel effet d'ironie en résulte-t-il dans ce passage? — Relevez les éléments documentaires sur le monde des tripots que ce passage contient. Intérêt de cette évocation d'une société corrompue par rapport au sens du roman?

à ma conscience, à mon honneur et à ma fortune. Je recevais ses avis avec amitié, et quoique je n'eusse pas la moindre disposition à les suivre, je lui savais bon gré de son zèle, parce que j'en connaissais la source. Quelquefois je le raillais agréablement, dans la présence même de Manon, et je l'exhortais à n'être pas plus scrupuleux qu'un grand nombre d'évêques et d'autres prêtres, qui savent accorder fort bien une maîtresse avec un bénéfice[81]. « Voyez, lui disais-je, en lui montrant les yeux de la mienne, et dites-moi s'il y a des fautes qui ne soient pas justifiées par une si belle cause. » Il prenait patience. Il la poussa même assez loin; mais lorsqu'il vit que mes richesses augmentaient, et que non seulement je lui avais restitué ses cent pistoles, mais qu'ayant loué une nouvelle maison et doublé ma dépense, j'allais me replonger plus que jamais dans les plaisirs, il changea entièrement de ton et de manières. Il se plaignit de mon endurcissement; il me menaça des châtiments du Ciel, et il me prédit une partie des malheurs qui ne tardèrent guère à m'arriver. « Il est impossible, me dit-il, que les richesses qui servent à l'entretien de vos désordres vous soient venues par des voies légitimes. Vous les avez acquises injustement; elles vous seront ravies de même. La plus terrible punition de Dieu serait de vous en laisser jouir tranquillement. Tous mes conseils, ajouta-t-il, vous ont été inutiles; je ne prévois que trop qu'ils vous seraient bientôt importuns. Adieu, ingrat et faible ami. Puissent vos criminels plaisirs s'évanouir comme une ombre! Puissent votre fortune et votre argent périr sans ressource, et vous rester seul et nu, pour sentir la vanité des biens qui vous ont follement enivré! C'est alors que vous me trouverez disposé à vous aimer et à vous servir, mais je romps aujourd'hui tout commerce[82] avec vous, et je déteste la vie que vous menez. » Ce fut dans ma chambre, aux yeux de Manon, qu'il me fit cette harangue apostolique[83]. Il se leva pour se retirer. Je voulus le retenir, mais je fus arrêté par Manon, qui me dit que c'était un fou qu'il fallait laisser sortir. **(38)**

---

**81.** *Bénéfice :* voir note 73; **82.** *Commerce :* relations; **83.** *Apostolique :* dont le ton et la teneur rappellent la prédication.

## QUESTIONS

**38.** Qu'espère obtenir Tiberge par cette harangue? Analysez-en le contenu; caractérisez son style, son vocabulaire. Le ton de Tiberge n'est-il pas déplacé et ne risque-t-il pas de rendre ridicule un personnage vertueux? Montrez que ses malédictions ont cependant un caractère prophétique qui donne une certaine gravité au passage.

Son discours ne laissa pas de faire quelque impression sur moi. Je remarque ainsi les diverses occasions où mon cœur sentit un retour vers le bien, parce que c'est à ce souvenir que j'ai dû ensuite une partie de ma force dans les plus malheureuses circonstances de ma vie. Les caresses de Manon dissipèrent, en un moment, le chagrin que cette scène m'avait causé. Nous continuâmes de mener une vie toute composée de plaisir et d'amour. L'augmentation de nos richesses redoubla notre affection; Vénus et la Fortune n'avaient point d'esclaves plus heureux et plus tendres. Dieux! pourquoi nommer le monde un lieu de misères, puisqu'on y peut goûter de si charmantes délices? **(39) (40)**

[Le greluchonnage.]

[Malheureusement, un coup du sort vient brusquement interrompre la prospérité des deux amants, qui se font dérober par leurs domestiques leur fortune fraîchement et frauduleusement acquise.]

Je pris le parti d'envoyer chercher sur-le-champ M. Lescaut. Il me conseilla d'aller, à l'heure même, chez M. le Lieutenant de Police et M. le Grand Prévôt de Paris[84]. J'y allai, mais ce fut pour mon plus grand malheur; car outre que cette démarche et celles que je fis faire à ces deux officiers de justice ne produisirent rien, je donnai le temps à Lescaut d'entretenir sa sœur, et de lui inspirer, pendant mon absence, une horrible résolution.

**84.** Les fonctions de lieutenant général de police étaient très importantes et correspondaient à celles d'un préfet de police actuel. La création de cette charge, en 1671, avait diminué le rôle du grand prévôt de Paris, qui était à cette époque plus nominal qu'effectif.

**QUESTIONS**

**39.** L'évocation du bonheur des deux amants : quelle morale cynique apporte-t-elle à l'épisode? Montrez qu'elle est aussi une glorification des plaisirs profanes contre l'ascétisme chrétien. Relevez cependant une phrase qui révèle le caractère précaire de ce bonheur.

**40.** Sur l'ensemble de l'épisode « Les premiers désordres. Le jeu ». — Montrez, d'après cet épisode, l'importance de la question d'argent dans le roman.

— Marquez les étapes de l'évolution qui s'opère chez des Grieux; par quels degrés s'accoutume-t-il peu à peu à la friponnerie? Quelle nouvelle étape de sa déchéance a-t-il désormais franchie?

— Soulignez les efforts du chevalier pour minimiser sa culpabilité : montrez que tout l'épisode est construit de telle sorte qu'il y apparaisse comme une victime du caractère de Manon, de la personnalité de Lescaut, d'un hasard malfaisant et d'une société corrompue.

Il lui parla de M. de G... M..., vieux voluptueux, qui payait prodiguement les plaisirs, et il lui fit envisager tant d'avantages à se mettre à sa solde, que, troublée comme elle était par notre disgrâce, elle entra dans tout ce qu'il entreprit de lui persuader. Cet honorable marché fut conclu avant mon retour, et l'exécution remise au lendemain, après que Lescaut aurait prévenu M. de G... M... Je le trouvai qui m'attendait au logis; mais Manon s'était couchée dans son appartement, et elle avait donné ordre à son laquais de me dire qu'ayant besoin d'un peu de repos, elle me priait de la laisser seule pendant cette nuit. Lescaut me quitta, après m'avoir offert quelques pistoles que j'acceptai. **(41)** Il était près de quatre heures, lorsque je me mis au lit, et m'y étant encore occupé longtemps des moyens de rétablir ma fortune, je m'endormis si tard, que je ne pus me réveiller que vers onze heures ou midi. Je me levai promptement pour aller m'informer de la santé de Manon; on me dit qu'elle était sortie, une heure auparavant, avec son frère, qui l'était venu prendre dans un carrosse de louage. Quoiqu'une telle partie, faite avec Lescaut, me parût mystérieuse, je me fis violence pour suspendre mes soupçons. Je laissai couler quelques heures, que je passai à lire. Enfin, n'étant plus le maître de mon inquiétude, je me promenai à grands pas dans nos appartements. J'aperçus, dans celui de Manon, une lettre cachetée qui était sur sa table. L'adresse était à moi, et l'écriture de sa main. Je l'ouvris avec un frisson mortel; elle était dans ces termes : **(42)**

« Je te jure, mon cher Chevalier, que tu es l'idole de mon cœur, et qu'il n'y a que toi au monde que je puisse aimer de la façon dont je t'aime; mais ne vois-tu pas, ma pauvre chère âme, que, dans l'état où nous sommes réduits, c'est une sotte vertu que la fidélité? Crois-tu qu'on puisse être bien tendre lorsqu'on manque de pain? La faim me causerait quelque méprise fatale; je rendrais quelque jour le dernier soupir, en croyant en pousser un d'amour. Je t'adore, compte là-dessus;

**QUESTIONS**

**41.** Montrez que dans sa manière de présenter les faits des Grieux cherche des circonstances atténuantes à Manon. A quel besoin cela répond-il chez lui? Précisez d'autre part l'intérêt pour le ton du roman lui-même de limiter la responsabilité de Manon dans les désordres auxquels elle s'abandonne.

**42.** Par quels procédés Prévost rend-il pathétique l'ignorance puis l'inquiétude de Des Grieux?

mais laisse-moi, pour quelque temps, le ménagement de notre fortune. Malheur à qui va tomber dans mes filets! Je travaille pour rendre mon Chevalier riche et heureux. Mon frère t'apprendra des nouvelles de ta Manon, et qu'elle a pleuré de la nécessité de te quitter. » **(43)**

[Désespéré par cette lecture, en proie à la fois au dépit, à la jalousie et à la honte, des Grieux s'abandonne à un violent accès de rage contre Manon, lorsque survient Lescaut qui le calme et lui apporte des précisions sur l'aventure.]

Il me raconta que Manon, ne pouvant soutenir la crainte de la misère, et surtout l'idée d'être obligée tout d'un coup à la réforme de notre équipage[85], l'avait prié de lui procurer la connaissance de M. de G... M..., qui passait pour un homme généreux. Il n'eut garde de me dire que le conseil était venu de lui, ni qu'il eût préparé les voies, avant que de l'y conduire. Je l'y ai menée ce matin, continua-t-il, et cet honnête homme a été si charmé de son mérite, qu'il l'a invitée d'abord à lui tenir compagnie à sa maison de campagne, où il est allé passer quelques jours. Moi, ajouta Lescaut, qui ai pénétré tout d'un coup de quel avantage cela pouvait être pour vous, je lui ai fait entendre adroitement que Manon avait essuyé des pertes considérables, et j'ai tellement piqué sa générosité, qu'il a commencé par lui faire un présent de deux cents pistoles. Je lui ai dit que cela était honnête[86] pour le présent, mais que l'avenir amènerait à ma sœur de grands besoins; qu'elle s'était

---

**85.** *Equipage :* voir note 16; **86.** *Honnête :* suffisant.

## QUESTIONS

**43.** La lutte de Manon : montrez, en étudiant son vocabulaire et son style, que deux tons y coexistent : celui de l'amoureuse passionnée et romanesque et celui de la courtisane cynique et intéressée et parfois vulgaire. — D'après cette lettre, Manon paraît-elle avoir conscience du chagrin qu'elle cause à des Grieux? — Étudiez ses efforts pour l'atténuer; soulignez :

— la place faite aux protestations d'amour;

— la discrétion du billet sur les circonstances précises de cette nouvelle aventure;

— la manière de présenter son infidélité comme une épreuve qui leur est imposée à tous deux et de faire ainsi de son inconduite une preuve d'amour.

Faites la part de la sincérité et celle de l'artifice. Relevez les phrases qui nous renseignent sur la nature véritable de l'amour qu'elle porte à des Grieux.

chargée, d'ailleurs, du soin d'un jeune frère, qui nous était resté sur les bras après la mort de nos père et mère, et que, s'il la croyait digne de son estime, il ne la laisserait pas souffrir dans ce pauvre enfant qu'elle regardait comme la moitié d'elle-même. Ce récit n'a pas manqué de l'attendrir. Il s'est engagé à louer une maison commode, pour vous et pour Manon, car c'est vous-même qui êtes ce pauvre petit frère orphelin. Il a promis de vous meubler proprement, et de vous fournir, tous les mois quatre cents bonnes livres, qui en feront, si je compte bien, quatre mille huit cents à la fin de chaque année. Il a laissé ordre à son intendant, avant que de partir pour sa campagne, de chercher une maison, et de la tenir prête pour son retour. Vous reverrez alors Manon, qui m'a chargé de vous embrasser mille fois pour elle, et de vous assurer qu'elle vous aime plus que jamais. **(44)**

Je m'assis, en rêvant à cette bizarre disposition de mon sort. Je me trouvai dans un partage de sentiments, et par conséquent dans une incertitude si difficile à terminer, que je demeurai longtemps sans répondre à quantité de questions que Lescaut me faisait l'une sur l'autre. Ce fut, dans ce moment, que l'honneur et la vertu me firent sentir encore les pointes du remords, et que je jetai les yeux, en soupirant, vers Amiens, vers la maison de mon père, vers Saint-Sulpice et vers tous les lieux où j'avais vécu dans l'innocence. Par quel immense

**QUESTIONS**

**44.** Les explications de Lescaut : à quelle nécessité répondent-elles? Pourquoi valait-il mieux mettre dans sa bouche que sous la plume de Manon les précisions qu'il apporte?

— Montrez que, d'après le récit de Lescaut, c'est lui qui a joué le rôle essentiel dans l'intrigue entre Manon et le vieux G... M... Comment cela est-il souligné par le style (remarquez en particulier la fréquence du pronom *je*)? Soulignez en conséquence que cela a pour effet de confirmer le lecteur dans un préjugé favorable à Manon. Quel élément intéressant cela apporte-t-il, d'autre part, à la peinture du personnage de Lescaut?

Le cynisme de Lescaut : comment se manifeste-t-il?

— dans le rôle qu'il joue entre Manon et le vieux G... M...; montrez l'habileté et l'élégance avec lesquelles il s'acquitte de son rôle d'entremetteur; montrez la cruauté avec laquelle il exploite sans vergogne les sentiments généreux du vieux G... M... (pitié, tendresse);

— dans la manière dont il rapporte son entremise; montrez l'amoralité tranquille avec laquelle il présente à des Grieux les conséquences avantageuses qu'aura pour lui la situation; appréciez le naturel avec lequel il transmet à des Grieux les paroles et les pensées de Manon sans même sentir ce qu'elles peuvent avoir de choquant étant donné la situation.

Phot. B. N.

Chez Monsieur de G... M...

Dessin de Maurice Leloir.

espace n'étais-je pas séparé de cet heureux état! Je ne le voyais plus que de loin, comme une ombre qui s'attirait encore mes regrets et mes désirs, mais trop faible pour exciter mes efforts. Par quelle fatalité, disais-je, suis-je devenu si criminel? L'amour est une passion innocente; comment s'est-il changé, pour moi, en une source de misères et de désordres? Qui m'empêchait de vivre tranquille et vertueux avec Manon? Pourquoi ne l'épousais-je point, avant que d'obtenir rien de son amour? Mon père, qui m'aimait si tendrement, n'y aurait-il pas consenti si je l'en eusse pressé avec des instances légitimes? Ah! mon père l'aurait chérie lui-même, comme une fille charmante, trop digne d'être la femme de son fils; je serais heureux avec l'amour de Manon, avec l'affection de mon père, avec l'estime des honnêtes gens, avec les biens de la fortune et la tranquillité de la vertu. Revers funeste! Quel est l'infâme personnage qu'on vient ici me proposer? Quoi! j'irai partager... Mais y a-t-il à balancer[87], si c'est Manon qui l'a réglé, et si je la perds sans cette complaisance? « Monsieur Lescaut, m'écriai-je en fermant les yeux, comme pour écarter de si chagrinantes réflexions, si vous avez eu dessein de me servir, je vous rends grâces. Vous auriez pu prendre une voie plus honnête; mais c'est une chose finie, n'est-ce pas? Ne pensons donc plus qu'à profiter de vos soins et à remplir votre projet. » Lescaut, à qui ma colère, suivie d'un fort long silence, avait causé de l'embarras, fut ravi de me voir prendre un parti tout différent de celui qu'il avait appréhendé sans doute; il n'était rien moins que brave, et j'en eus de meilleures preuves dans la suite. « Oui, oui, se hâta-t-il de me répondre, c'est un fort bon service que je vous ai rendu, et vous verrez que nous en tirerons plus d'avantage que vous ne vous y attendez. » Nous concertâmes de quelle manière nous pourrions prévenir les défiances que M. de G... M... pouvait concevoir de notre fraternité, en me voyant plus grand et un peu plus âgé peut-être qu'il ne se l'imaginait. Nous ne trouvâmes point d'autre moyen, que de prendre devant lui un air simple et provincial, et de lui faire croire que j'étais dans le dessein d'entrer dans l'état ecclésiastique, et que j'allais pour cela tous les jours au collège. Nous résolûmes aussi que je me mettrais fort mal, la première fois que je serais admis à l'honneur de le saluer. Il revint à la ville trois ou quatre jours après; il conduisit lui-même Manon

**87.** *Balancer :* voir note 9.

dans la maison que son intendant avait eu soin de préparer. Elle fit avertir aussitôt Lescaut de son retour; et celui-ci m'en ayant donné avis, nous nous rendîmes tous deux chez elle. Le vieil amant en était déjà sorti. **(45)**

Malgré la résignation avec laquelle je m'étais soumis à ses volontés, je ne pus réprimer le murmure de mon cœur en la revoyant. Je lui parus triste et languissant. La joie de la retrouver ne l'emportait pas tout à fait sur le chagrin de son infidélité. Elle, au contraire, paraissait transportée du plaisir de me revoir. Elle me fit des reproches de ma froideur. Je ne pus m'empêcher de laisser échapper les noms de perfide et d'infidèle, que j'accompagnai d'autant de soupirs. Elle me railla d'abord de ma simplicité[88]; mais, lorsqu'elle vit mes regards s'attacher toujours tristement sur elle, et la peine que j'avais à digérer un changement si contraire à mon humeur et à mes désirs, elle passa seule dans son cabinet. Je la suivis un moment après. Je l'y trouvai tout en pleurs; je lui demandai ce qui les causait. « Il t'est bien aisé de le voir, me dit-elle, comment veux-tu que je vive, si ma vue n'est plus propre qu'à te causer un air sombre et chagrin? Tu ne m'as pas fait une seule caresse, depuis une heure que tu es ici, et tu as reçu les miennes avec la majesté du Grand Turc[89] au Sérail.

— Écoutez, Manon, lui répondis-je en l'embrassant, je ne puis vous cacher que j'ai le cœur mortellement affligé. Je ne parle point à présent des alarmes où votre fuite imprévue m'a jeté, ni de la cruauté que vous avez eue de m'abandonner sans un mot de consolation, après avoir passé la nuit dans un autre lit que moi. Le charme[90] de votre présence m'en ferait bien oublier davantage. Mais croyez-vous que je puisse penser sans soupirs, et même sans larmes, continuai-je en en versant

---

**88.** *Simplicité :* naïveté, voir note 22; **89.** Le *Grand Turc*, c'est l'expression qui désigne traditionnellement le chef de l'Empire ottoman. Le *sérail* désigne son palais; **90.** *Charme :* puissance, de caractère magique, qui s'exerce sur la volonté d'une personne (voir note 34).

## QUESTIONS

**45.** Quels sentiments suscitent chez des Grieux les déclarations de Lescaut?

— Fait-il beaucoup de difficultés pour accepter ses propositions? Y a-t-il chez lui un véritable débat intérieur, ou bien se contente-t-il de considérer la situation comme un fait accompli? Accepte-t-il ses responsabilités ou bien cherche-t-il à s'en décharger? Comparez l'attitude de Des Grieux ici et dans l'épisode précédent (p. 48-61) et montrez l'évolution qui s'est produite en lui.

quelques-unes, à la triste et malheureuse vie que vous voulez que je mène dans cette maison? Laissons ma naissance et mon honneur à part : ce ne sont plus des raisons si faibles qui doivent entrer en concurrence avec un amour tel que le mien; mais cet amour même, ne vous imaginez-vous pas qu'il gémit de se voir si mal récompensé, ou plutôt traité si cruellement par une ingrate et dure maîtresse?... » Elle m'interrompit : « Tenez, dit-elle, mon Chevalier, il est inutile de me tourmenter par des reproches qui me percent le cœur, lorsqu'ils viennent de vous. Je vois ce qui vous blesse. J'avais espéré que vous consentiriez au projet que j'avais fait pour rétablir un peu notre fortune, et c'était pour ménager votre délicatesse que j'avais commencé à l'exécuter sans votre participation; mais j'y renonce, puisque vous ne l'approuvez pas. » Elle ajouta qu'elle ne me demandait qu'un peu de complaisance, pour le reste du jour; qu'elle avait déjà reçu deux cents pistoles de son vieil amant, et qu'il lui avait promis de lui apporter le soir un beau collier de perles, avec d'autres bijoux, et par-dessus cela, la moitié de la pension annuelle qu'il lui avait promise. Laissez-moi seulement le temps, me dit-elle, de recevoir ses présents; je vous jure qu'il ne pourra se vanter des avantages que je lui ai donnés sur moi, car je l'ai remis jusqu'à présent à la ville[91]. Il est vrai qu'il m'a baisé plus d'un million de fois les mains; il est juste qu'il paye ce plaisir, et ce ne sera point trop que cinq ou six mille francs, en proportionnant le prix à ses richesses et à son âge.

Sa résolution me fut beaucoup plus agréable que l'espérance des cinq mille livres[92]. J'eus lieu de reconnaître que mon cœur n'avait point encore perdu tout sentiment d'honneur, puisqu'il était si satisfait d'échapper à l'infamie. **(46)**

---

**91.** *Remettre à la ville :* renvoyer à une date ultérieure; **92.** Cinq mille francs; la livre était synonyme de « franc ».

## QUESTIONS

**46.** L'entrevue de Manon et de Des Grieux :

— Analysez la progression de cette scène et montrez-en le caractère théâtral (dialogue, ballet des personnages). Quels sont les sentiments des deux héros au début de la scène? En quoi la situation n'a-t-elle pas pour tous les deux la même signification? Que représente pour Manon ce que des Grieux considère comme une infidélité? — Montrez que celui-ci souffre à la fois dans son amour et dans sa dignité. Quelle douleur lui est le plus pénible? En quoi l'aménagement qu'il accepte représente-t-il une nouvelle défaite pour lui? Que sacrifie-t-il en effet dans cet arrangement?

[Après avoir averti Lescaut de leur décision, les deux amants décident de se jouer avec lui de M. de G... M... Il est convenu qu'ils dîneront tous trois avec le vieillard, et que Lescaut fera passer des Grieux pour le jeune frère, un peu benêt, de Manon; lorsque M. de G... M... se retirera dans sa chambre, comptant y être rejoint par Manon, celle-ci quittera la demeure, en emportant argent et bijoux, pour s'enfuir avec des Grieux.]

L'heure du souper étant venue, M. de G... M... ne se fit pas attendre longtemps. Lescaut était avec sa sœur, dans la salle. Le premier compliment du vieillard fut d'offrir à sa belle un collier, des bracelets et des pendants de perles, qui valaient au moins mille écus[93]. Il lui compta ensuite, en beaux louis d'or, la somme de deux mille quatre cents livres, qui faisaient la moitié de la pension. Il assaisonna son présent de quantité de douceurs dans le goût de la vieille Cour. Manon ne put lui refuser quelques baisers; c'était autant de droits qu'elle acquérait sur l'argent qu'il lui mettait entre les mains. J'étais à la porte, où je prêtais l'oreille, en attendant que Lescaut m'avertît d'entrer.

Il vint me prendre par la main, lorsque Manon eut serré l'argent et les bijoux, et me conduisant vers M. de G... M..., il m'ordonna de lui faire la révérence. J'en fis deux ou trois des plus profondes. « Excusez, monsieur, lui dit Lescaut, c'est un enfant fort neuf. Il est bien éloigné, comme vous voyez, d'avoir les airs de Paris; mais nous espérons qu'un peu d'usage le façonnera. Vous aurez l'honneur de voir ici souvent monsieur, ajouta-t-il, en se tournant vers moi; faites bien votre profit d'un si bon modèle. » Le vieil amant parut prendre plaisir à me voir. Il me donna deux ou trois petits coups sur la joue, en me disant que j'étais un joli garçon, mais qu'il fallait être sur mes gardes à Paris, où les jeunes gens se laissent aller facilement à la débauche. Lescaut l'assura que j'étais naturellement si sage, que je ne parlais que de me faire prêtre, et que tout mon plaisir était à faire de petites chapelles[94]. « Je lui trouve de l'air de Manon, reprit le vieillard en me haussant le menton avec la main. » Je répondis d'un air niais : « Monsieur, c'est que nos deux chairs se touchent de bien proche; aussi, j'aime ma sœur Manon comme un autre moi-même. — L'entendez-vous? dit-il à Lescaut, il a de l'esprit. C'est dommage

---

93. L'expression désigne des manières d'une politesse vieillote et surannée; voir note 51; **94.** *Faire de petites chapelles*, c'est construire de petits reposoirs ou de petits autels ornés de fleurs.

que cet enfant-là n'ait pas un peu plus de monde[95]. — Oh! monsieur, repris-je, j'en ai vu beaucoup chez nous dans les églises, et je crois bien que j'en trouverai, à Paris, de plus sots que moi. — Voyez, ajouta-t-il, cela est admirable pour un enfant de province. » Toute notre conversation fut à peu près du même goût, pendant le souper. Manon, qui était badine, fut sur le point, plusieurs fois, de gâter tout par ses éclats de rire. Je trouvai l'occasion, en soupant, de lui raconter sa propre histoire, et le mauvais sort qui le menaçait. Lescaut et Manon tremblaient pendant mon récit, surtout lorsque je faisais son portrait au naturel; mais l'amour-propre l'empêcha de s'y reconnaître, et je l'achevai si adroitement, qu'il fut le premier à le trouver fort risible. Vous verrez que ce n'est pas sans raison que je me suis étendu sur cette ridicule scène. Enfin, l'heure du sommeil étant arrivée, il parla d'amour et d'impatience. Nous nous retirâmes, Lescaut et moi; on le conduisit à sa chambre, et Manon, étant sortie sous prétexte d'un besoin, nous vint joindre à la porte. Le carrosse, qui nous attendait trois ou quatre maisons plus bas, s'avança pour nous recevoir. Nous nous éloignâmes en un instant du quartier. **(47)**

[M. de G... M... découvre bien vite qu'il a été dupé. Il obtient des renseignements sur la demeure de Manon et des Grieux, et les fait arrêter.]

95. Expérience du *monde*.

## QUESTIONS

**47.** Quel est l'intérêt de cette scène :
— pour l'action;
— pour la peinture de l'évolution de Des Grieux;
— pour l'agrément du roman?
— Dans quelle mesure peut-on dire de cette scène qu'elle est libertine? Montrez en effet que le plaisir des personnages est un plaisir d'ordre intellectuel, qui vient de ce que la subtilité de l'esprit s'exerce aux dépens de quelqu'un, et qui consiste :
— d'une part à se faire passer pour dupe aux yeux de celui qu'on dupe et de le rendre ainsi ridicule étant donné la situation réelle (ex. : l'attitude protectrice de G... M... à l'égard de Des Grieux);
— d'autre part, au prix d'un exercice de virtuosité verbale, à livrer à l'interlocuteur la vérité sur sa situation, mais sous une forme telle qu'il l'interprète dans un sens erroné. Analysez les artifices de présentation utilisés à cet effet (phrases dont le mot important est précisément celui qui passe inaperçu, expression où le mot à prendre au sens propre est précisément pris au figuré).
— Imaginez ce que peuvent être les procédés employés par des Grieux dans le récit où M. de G... M... ne se reconnaît pas.

Nous étions encore au lit, lorsqu'un exempt de police[96] entra dans notre chambre avec une demi-douzaine de gardes. Ils se saisirent d'abord de notre argent, ou plutôt de celui de M. de G... M..., et nous ayant fait lever brusquement, ils nous conduisirent à la porte, où nous trouvâmes deux carrosses, dans l'un desquels la pauvre Manon fut enlevée sans explication, et moi traîné dans l'autre à Saint-Lazare[97]. Il faut avoir éprouvé de tels revers, pour juger du désespoir qu'ils peuvent causer. Nos gardes eurent la dureté de ne me pas permettre d'embrasser Manon, ni de lui dire une parole. J'ignorai longtemps ce qu'elle était devenue. Ce fut sans doute un bonheur pour moi de ne l'avoir pas su d'abord, car une catastrophe si terrible m'aurait fait perdre le sens et, peut-être, la vie. **(48) (49)**

[PREMIER SÉJOUR EN PRISON.]

[Manon est donc emmenée pour être conduite dans un lieu dont des Grieux n'aura la connaissance que plus tard, et lui-même arrive sous bonne garde à Saint-Lazare.]

Le supérieur parut à l'instant; il était prévenu sur mon arrivée; il me salua avec beaucoup de douceur. « Mon Père, lui dis-je, point d'indignités[98]. Je perdrai mille vies avant que

---

**96.** *Exempt de police :* officier (exempt de service ordinaire) qui commandait une escouade de la maréchaussée; **97.** *Saint-Lazare :* ancienne léproserie, cédée en 1632 à saint Vincent de Paul et aux missionnaires lazaristes qui se chargèrent de recevoir les jeunes gens coupables d'inconduite. Ce fut plus tard une prison de femmes, aujourd'hui démolie; **98.** Les lazaristes passaient pour infliger de durs traitements à leurs pensionnaires.

**QUESTIONS**

**48.** La punition qui s'abat sur Manon et des Grieux ne vous semble-t-elle pas méritée? Comment cependant des Grieux présente-t-il les faits de manière que Manon et lui-même apparaissent comme les victimes innocentes d'un châtiment injuste? Relevez les détails qui suscitent la compassion pour les deux jeunes gens.

**49.** SUR L'ENSEMBLE DE L'ÉPISODE « LE GRELUCHONNAGE ».

— Comment, dans le récit de cet épisode, des Grieux s'y prend-il pour limiter sa culpabilité et celle de Manon dans les compromissions qu'ils acceptent? Soulignez à cet égard l'utilité du personnage de Lescaut.

— Montrez comment des Grieux a évolué entre le début et la fin de cette aventure. Quel rôle cependant ne joue-t-il pas? S'il y échappe, le doit-il à ses efforts pour rester honnête?

— Établissez l'analogie de cet épisode avec l'épisode de M. de B... Indiquez les différences et dégagez-en la signification.

d'en souffrir une. — Non, non, monsieur, me répondit-il; vous prendrez une conduite sage, et nous serons contents l'un de l'autre. » Il me pria de monter dans une chambre haute. Je le suivis sans résistance. Les archers nous accompagnèrent jusqu'à la porte, et le supérieur, y étant entré avec moi, leur fit signe de se retirer.

« Je suis donc votre prisonnier! lui dis-je. Eh bien, mon Père, que prétendez-vous faire de moi? » Il me dit qu'il était charmé de me voir prendre un ton raisonnable; que son devoir serait de travailler à m'inspirer le goût de la vertu et de la religion, et le mien, de profiter de ses exhortations et de ses conseils; que, pour peu que je voulusse répondre aux attentions qu'il aurait pour moi, je ne trouverais que du plaisir dans ma solitude. « Ah! du plaisir! repris-je; vous ne savez pas, mon Père, l'unique chose qui est capable de m'en faire goûter! — Je le sais, reprit-il; mais j'espère que votre inclination changera. » Sa réponse me fit comprendre qu'il était instruit de mes aventures, et peut-être de mon nom. Je le priai de m'éclaircir[99]. Il me dit naturellement[100] qu'on l'avait informé de tout. **(50)**

Cette connaissance fut le plus rude de tous mes châtiments. Je me mis à verser un ruisseau de larmes, avec toutes les marques d'un affreux désespoir. Je ne pouvais me consoler d'une humiliation qui allait me rendre la fable de toutes les personnes de ma connaissance, et la honte de ma famille. Je passai ainsi huit jours dans le plus profond abattement sans être capable de rien entendre, ni de m'occuper d'autre chose que de mon opprobre. Le souvenir même de Manon n'ajoutait rien à ma douleur. Il n'y entrait, du moins, que comme un sentiment qui avait précédé cette nouvelle peine, et la passion dominante de mon âme était la honte et la confusion. Il y a peu de personnes qui connaissent la force de ces mouvements particuliers du cœur. Le commun des hommes n'est sensible qu'à cinq ou six passions, dans le cercle desquelles leur vie

**99.** *Eclaircir :* renseigner; **100.** *Naturellement :* voir note 27.

**QUESTIONS**

**50.** Opposez la douceur indulgente et protectrice du supérieur à l'agressivité de Des Grieux. Comment l'une et l'autre s'expliquent-elles? Comment cette opposition est-elle traduite par le style des deux personnages? Remarquez chez des Grieux l'outrance du vocabulaire, le rythme haché des phrases, le nombre des exclamations. Caractérisez les formules, le vocabulaire et les tours du supérieur.

se passe, et où toutes leurs agitations se réduisent. Ôtez-leur l'amour et la haine, le plaisir et la douleur, l'espérance et la crainte, ils ne sentent plus rien. Mais les personnes d'un caractère plus noble peuvent être remuées de mille façons différentes; il semble qu'elles aient plus de cinq sens, et qu'elles puissent recevoir des idées et des sensations qui passent les bornes ordinaires de la nature; et comme elles ont un sentiment de cette grandeur qui les élève au-dessus du vulgaire, il n'y a rien dont elles soient plus jalouses. De là vient qu'elles souffrent si impatiemment le mépris et la risée, et que la honte est une de leurs plus violentes passions. **(51)**

J'avais ce triste avantage à Saint-Lazare. Ma tristesse parut si excessive au supérieur, qu'en appréhendant les suites, il crut devoir me traiter avec beaucoup de douceur et d'indulgence. Il me visitait deux ou trois fois le jour. Il me prenait souvent avec lui, pour faire un tour de jardin, et son zèle s'épuisait en exhortations et en avis salutaires. Je les recevais avec douceur; je lui marquais même de la reconnaissance. Il en tirait l'espoir de ma conversion. « Vous êtes d'un naturel si doux et si aimable, me dit-il un jour, que je ne puis comprendre les désordres dont on vous accuse. Deux choses m'étonnent : l'une, comment, avec de si bonnes qualités, vous avez pu vous livrer à l'excès du libertinage; et l'autre que j'admire encore plus, comment vous recevez si volontiers mes conseils et mes instructions, après avoir vécu plusieurs années dans l'habitude du désordre. Si c'est repentir, vous êtes un exemple signalé des miséricordes du Ciel; si c'est bonté naturelle, vous avez du moins un excellent fond de caractère, qui me fait espérer que nous n'aurons pas besoin de vous retenir ici longtemps, pour vous ramener à une vie honnête et réglée. » Je fus ravi de lui voir cette opinion de moi. Je résolus de l'augmenter par une conduite qui pût le satisfaire entièrement, persuadé que c'était le plus sûr moyen d'abréger ma prison. Je lui demandai des livres. Il fut surpris que, m'ayant laissé le choix de ceux que je voulais lire, je me déterminai pour quelques auteurs sérieux. Je feignis de m'appliquer à l'étude

QUESTIONS

**51.** Montrez que le désespoir de Des Grieux est surtout une manifestation d'orgueil; n'est-ce pas surprenant à cet instant? Par quel raisonnement l'explique-t-il lui-même? Quelle est l'importance pour l'ensemble du roman de cette conviction d'appartenir à une aristocratie, qui explique, selon des Grieux, la qualité de sa sensibilité?

Phot. Larousse.

« Tenez-le bien, dit-il aux archers... » (p. 106).

Dessin et gravure de J. J. Pasquier.

avec le dernier attachement, et je lui donnai ainsi, dans toutes les occasions, des preuves du changement qu'il désirait.

Cependant il n'était qu'extérieur. Je dois le confesser à ma honte, je jouai, à Saint-Lazare, un personnage d'hypocrite. Au lieu d'étudier, quand j'étais seul, je ne m'occupais qu'à gémir de ma destinée; je maudissais ma prison et la tyrannie qui m'y retenait. Je n'eus pas plutôt quelque relâche du côté de cet accablement où m'avait jeté la confusion, que je retombai dans les tourments de l'amour. L'absence de Manon, l'incertitude de son sort, la crainte de ne la revoir jamais étaient l'unique objet de mes tristes méditations. Je me la figurais dans les bras de G... M..., car c'était la pensée que j'avais eue d'abord; et, loin de m'imaginer qu'il lui eût fait le même traitement qu'à moi, j'étais persuadé qu'il ne m'avait fait éloigner que pour la posséder tranquillement. Je passais ainsi des jours et des nuits dont la longueur me paraissait éternelle. Je n'avais d'espérance que dans le succès de mon hypocrisie. J'observais soigneusement le visage et les discours du supérieur, pour m'assurer de ce qu'il pensait de moi, et je me faisais une étude de lui plaire, comme à l'arbitre de ma destinée. Il me fut aisé de reconnaître que j'étais parfaitement dans ses bonnes grâces. Je ne doutai plus qu'il ne fût disposé à me rendre service. **(52)** Je pris un jour la hardiesse de lui demander si c'était de lui que mon élargissement dépendait. Il me dit qu'il n'en était pas absolument le maître, mais que, sur son témoignage, il espérait que M. de G... M..., à la sollicitation duquel M. le Lieutenant général de Police[101] m'avait fait renfermer, consentirait à me rendre la liberté. « Puis-je me

---

**101.** Le lieutenant général de police pouvait faire emprisonner un homme à la simple requête d'un « plaignant » influent, et sans s'être autrement informé sur sa culpabilité que par une enquête sommaire et la plupart du temps formelle.

**QUESTIONS**

**52.** Pourquoi Prévost place-t-il dans la bouche du supérieur des considérations sur les bonnes qualités naturelles de Des Grieux? — Comment celui-ci se ménage-t-il ses bonnes grâces? Par quels moyens Prévost arrive-t-il à faire que, bien qu'il abuse un homme généreux et bon, des Grieux ne nous soit pas odieux? Montrez que cela tient, d'une part, à la signification même de ce roman, dans lequel les moyens les plus vils trouvent leur justification dans le but de l'intention finale, mais que d'autre part, ici, le remords éprouvé par le chevalier et la détresse morale dans laquelle il se trouve constituent des circonstances atténuantes à son absence de scrupules (remarquez la place que l'auteur, pour souligner le désarroi du héros, accorde à l'analyse des tourments de la jalousie; montrez la justesse et la précision de cette peinture psychologique).

flatter, repris-je doucement, que deux mois de prison, que j'ai déjà essuyés, lui paraîtront une expiation suffisante? » Il me promit de lui en parler, si je le souhaitais. Je le priai instamment de me rendre ce bon office. Il m'apprit, deux jours après, que G... M... avait été si touché du bien qu'il avait entendu de moi, que non seulement il paraissait être dans le dessein de me laisser voir le jour, mais qu'il avait même marqué beaucoup d'envie de me connaître plus particulièrement, et qu'il se proposait de me rendre une visite dans ma prison. Quoique sa présence ne pût m'être agréable, je la regardai comme un acheminement prochain à ma liberté. **(53)**

Il vint effectivement à Saint-Lazare. Je lui trouvai l'air plus grave et moins sot qu'il ne l'avait eu dans la maison de Manon. Il me tint quelques discours de bon sens sur ma mauvaise conduite. Il ajouta, pour justifier apparemment ses propres désordres, qu'il était permis à la faiblesse des hommes de se procurer certains plaisirs que la nature exige, mais que la friponnerie et les artifices honteux méritaient d'être punis. Je l'écoutai avec un air de soumission dont il parut satisfait. Je ne m'offensai pas même de lui entendre lâcher quelques railleries sur ma fraternité avec Lescaut et Manon, et sur les petites chapelles[102] dont il supposait, me dit-il, que j'avais dû faire un grand nombre à Saint-Lazare, puisque je trouvais tant de plaisir à cette pieuse occupation. Mais il lui échappa, malheureusement pour lui et pour moi-même, de me dire que Manon en aurait fait aussi, sans doute, de fort jolies à l'Hôpital. Malgré le frémissement que le nom d'Hôpital me causa, j'eus encore le pouvoir de le prier, avec douceur, de s'expliquer. « Hé oui! reprit-il, il y a deux mois qu'elle apprend la sagesse à l'Hôpital Général[103], et je souhaite qu'elle en ait tiré autant de profit que vous à Saint-Lazare. » **(54)**

---

**102.** *Petites chapelles :* voir note 94; **103.** L'*Hôpital général* (aujourd'hui la *Salpêtrière*) était une ancienne fabrique de salpêtre, transformée par Louis XIV en 1656 en asile de pauvres, et qui servit aussi, depuis 1684, de prison de femmes. Les détenues y subissaient des traitements très durs et en sortaient rarement vivantes, sinon pour être déportées en Amérique.

## QUESTIONS

**53.** Quels sentiments peut éprouver des Grieux à l'idée d'avoir à solliciter sa mise en liberté de M. de G... M...? Montrez que le fait d'accepter l'entrevue révèle d'une part l'étendue de son désarroi, d'autre part une certaine évolution qui s'est faite en lui.

Question 54, v. p. 77.

Quand j'aurais eu une prison éternelle, ou la mort même présente à mes yeux, je n'aurais pas été le maître de mon transport[104], à cette affreuse nouvelle. Je me jetai sur lui avec une si furieuse rage que j'en perdis la moitié de mes forces. J'en eus assez néanmoins pour le renverser par terre, et pour le prendre à la gorge. Je l'étranglais, lorsque le bruit de sa chute, et quelques cris aigus, que je lui laissais à peine la liberté de pousser, attirèrent le supérieur et plusieurs religieux dans ma chambre. On le délivra de mes mains. J'avais presque perdu moi-même la force et la respiration. « Ô Dieu! m'écriai-je, en poussant mille soupirs; justice du Ciel! faut-il que je vive un moment, après une telle infamie? » Je voulus me jeter encore sur le barbare qui venait de m'assassiner. On m'arrêta. Mon désespoir, mes cris et mes larmes passaient toute imagination. Je fis des choses si étonnantes, que tous les assistants, qui en ignoraient la cause, se regardaient les uns les autres avec autant de frayeur que de surprise. M. de G... M... rajustait pendant ce temps-là sa perruque et sa cravate, et dans le dépit d'avoir été si maltraité, il ordonnait au supérieur de me resserrer plus étroitement que jamais, et de me punir par tous les châtiments qu'on sait être propres à Saint-Lazare[105]. « Non, monsieur, lui dit le supérieur; ce n'est point avec une personne de la naissance de M. le Chevalier que nous en usons de cette manière. Il est si doux, d'ailleurs, et si honnête, que j'ai peine à comprendre qu'il se soit porté à cet excès sans de fortes raisons. » Cette réponse acheva de déconcerter M. de G... M... Il sortit en disant qu'il saurait faire plier et le supérieur, et moi, et tous ceux qui oseraient lui résister. **(55)**

**104.** *Transport :* voir note 6; **105.** *Saint-Lazare :* voir note 97.

## QUESTIONS

**54.** La visite du vieux G... M... : montrez que la longueur de ce préambule est justifiée par la nécessité d'excuser la brutalité dont va faire preuve des Grieux; comment s'y manifestent, d'une part, la grossièreté de M. de G... M... et sa cruauté, d'autre part la patience du chevalier? — Pourquoi le ton et le contenu de la dernière réplique de G... M... mettent-ils des Grieux hors de lui?

**55.** Montrez le réalisme et la vie de cet affrontement; relevez les procédés utilisés à cet effet. — Cette scène n'a-t-elle pas, malgré son caractère âpre et pathétique, un aspect comique? A quoi tient-il? Comment M. de G... M... se trouve-t-il ridiculisé? — Ce passage fait-il progresser l'action? Montrez qu'il a surtout pour but de rendre définitivement antipathique au lecteur M. de G... M... et d'excuser ainsi *a posteriori*, à nos yeux, le comportement déshonnête que des Grieux a eu à son égard.

[Le chevalier, par le récit de ses aventures, suscite la compassion du supérieur, qui lui promet d'essayer d'obtenir sa liberté du lieutenant général de police; mais celui-ci prévoit au moins six mois de détention. Torturé, de plus, à l'idée des tourments que Manon doit endurer à l'Hôpital, des Grieux décide d'organiser sa propre évasion, puis d'aller délivrer sa maîtresse; il compte pour cela recourir à Lescaut, qu'il espère atteindre par l'intermédiaire de Tiberge. Le fidèle ami, mandé, vient aussitôt trouver des Grieux à Saint-Lazare.]

Notre entretien fut plein d'amitié. Il voulut être informé de mes dispositions. Je lui ouvris mon cœur sans réserve, excepté sur le dessein de ma fuite. « Ce n'est pas à vos yeux, cher ami, lui dis-je, que je veux paraître ce que je ne suis point. Si vous avez cru trouver ici un ami sage et réglé dans ses désirs, un libertin[106] réveillé par les châtiments du Ciel, en un mot un cœur dégagé de l'amour et revenu des charmes de sa Manon, vous avez jugé trop favorablement de moi. Vous me revoyez tel que vous me laissâtes il y a quatre mois : toujours tendre, et toujours malheureux par cette fatale tendresse dans laquelle je ne me lasse point de chercher mon bonheur. »

Il me répondit que l'aveu que je faisais me rendait inexcusable; qu'on voyait bien des pécheurs qui s'enivraient du faux bonheur du vice jusqu'à le préférer hautement à celui de la vertu; mais que c'était, du moins, à des images de bonheur qu'ils s'attachaient, et qu'ils étaient les dupes de l'apparence; mais que, de reconnaître, comme je le faisais, que l'objet de mes attachements n'était propre qu'à me rendre coupable et malheureux, et de continuer à me précipiter volontairement dans l'infortune et dans le crime, c'était une contradiction d'idées et de conduite qui ne faisait pas honneur à ma raison.

« Tiberge, repris-je, qu'il vous est aisé de vaincre, lorsqu'on n'oppose rien à vos armes! Laissez-moi raisonner à mon tour. Pouvez-vous prétendre que ce que vous appelez le bonheur de la vertu soit exempt de peines, de traverses et d'inquiétudes? Quel nom donnerez-vous à la prison, aux croix, aux supplices et aux tortures des tyrans? Direz-vous, comme font les mystiques, que ce qui tourmente le corps est un bonheur pour l'âme? Vous n'oseriez le dire; c'est un paradoxe insoutenable. Ce bonheur, que vous relevez tant, est donc mêlé de mille peines, ou pour parler plus juste, ce n'est qu'un tissu de mal-

---

**106.** Le terme de « libertin » désigne ceux qui bafouent volontairement les principes de la religion.

heurs au travers desquels on tend à la félicité. Or si la force de l'imagination fait trouver du plaisir dans ces maux mêmes, parce qu'ils peuvent conduire à un terme heureux qu'on espère, pourquoi traitez-vous de contradictoire et d'insensée, dans ma conduite, une disposition toute semblable? J'aime Manon; je tends au travers de mille douleurs à vivre heureux et tranquille auprès d'elle. La voie par où je marche est malheureuse; mais l'espérance d'arriver à mon terme y répand toujours de la douceur, et je me croirai trop bien payé, par un moment passé avec elle, de tous les chagrins que j'essuie pour l'obtenir. Toutes choses me paraissent donc égales de votre côté et du mien; ou s'il y a quelque différence, elle est encore à mon avantage, car le bonheur que j'espère est proche, et l'autre est éloigné; le mien est de la nature des peines, c'est-à-dire sensible au corps, et l'autre est d'une nature inconnue, qui n'est certaine que par la foi. »

Tiberge parut effrayé de ce raisonnement. Il recula de deux pas, en me disant, de l'air le plus sérieux, que, non seulement ce que je venais de dire blessait le bon sens, mais que c'était un malheureux sophisme d'impiété et d'irréligion : « car cette comparaison, ajouta-t-il, du terme de vos peines avec celui qui est proposé par la religion, est une idée des plus libertines et des plus monstrueuses[107] ».

« J'avoue, repris-je, qu'elle n'est pas juste; mais prenez-y garde, ce n'est pas sur elle que porte mon raisonnement. J'ai eu dessein d'expliquer ce que vous regardez comme une contradiction, dans la persévérance d'un amour malheureux, et je crois avoir fort bien prouvé que, si c'en est une, vous ne sauriez vous en sauver plus que moi. C'est à cet égard seulement que j'ai traité les choses d'égales, et je soutiens encore qu'elles le sont. Répondrez-vous que le terme de la vertu est infiniment supérieur à celui de l'amour? Qui refuse d'en convenir? Mais est-ce de quoi il est question? Ne s'agit-il pas de la force qu'ils ont, l'un et l'autre, pour faire supporter les peines? Jugeons-en par l'effet. Combien trouve-t-on de déserteurs de la sévère vertu, et combien en trouverez-vous peu de l'amour? Répondrez-vous encore que, s'il y a des peines dans l'exercice du bien, elles ne sont pas infaillibles et nécessaires; qu'on ne trouve plus de tyrans ni de croix, et qu'on voit quantité de personnes vertueuses mener une vie douce et tranquille? Je

**107.** *Libertin :* voir note 106.

vous dirai de même qu'il y a des amours paisibles et fortunés, et, ce qui fait encore une différence qui m'est extrêmement avantageuse, j'ajouterai que l'amour, quoiqu'il trompe assez souvent, ne promet du moins que des satisfactions et des joies, au lieu que la religion veut qu'on s'attende à une pratique triste et mortifiante. Ne vous alarmez pas, ajoutai-je en voyant son zèle prêt à se chagriner. L'unique chose que je veux conclure ici, c'est qu'il n'y a point de plus mauvaise méthode pour dégoûter un cœur de l'amour, que de lui en décrier les douceurs et de lui promettre plus de bonheur dans l'exercice de la vertu. De la manière dont nous sommes faits, il est certain que notre félicité consiste dans le plaisir; je défie qu'on s'en forme une autre idée; or le cœur n'a pas besoin de se consulter longtemps pour sentir que, de tous les plaisirs, les plus doux sont ceux de l'amour. Il s'aperçoit bientôt qu'on le trompe lorsqu'on lui en promet ailleurs de plus charmants, et cette tromperie le dispose à se défier des promesses les plus solides. Prédicateurs, qui voulez me ramener à la vertu, dites-moi qu'elle est indispensablement nécessaire, mais ne me déguisez pas qu'elle est sévère et pénible. Établissez bien que les délices de l'amour sont passagères, qu'elles sont défendues, qu'elles seront suivies par d'éternelles peines, et ce qui fera peut-être encore plus d'impression sur moi, que, plus elles sont douces et charmantes, plus le Ciel sera magnifique à récompenser un si grand sacrifice, mais confessez qu'avec des cœurs tels que nous les avons, elles sont ici-bas nos plus parfaites félicités. »

Cette fin de mon discours rendit sa bonne humeur à Tiberge. Il convint qu'il y avait quelque chose de raisonnable dans mes pensées. La seule objection qu'il ajouta fut de me demander pourquoi je n'entrais pas du moins dans mes propres principes, en sacrifiant mon amour à l'espérance de cette rémunération dont je me faisais une si grande idée. « Ô cher ami! lui répondis-je, c'est ici que je reconnais ma misère et ma faiblesse. Hélas! oui, c'est mon devoir d'agir comme je raisonne! mais l'action est-elle en mon pouvoir? De quels secours n'aurais-je pas besoin pour oublier les charmes de Manon? — Dieu me pardonne, reprit Tiberge, je pense que voici encore un de nos jansénistes. — Je ne sais ce que je suis, répliquai-je, et je ne vois pas trop clairement ce qu'il faut être; mais je n'éprouve que trop la vérité de ce qu'ils disent. » **(56)**

**QUESTIONS**

Question 56, v. p. 81.

[Des Grieux a préparé une lettre pour Lescaut, mais, craignant d'éveiller les soupçons de Tiberge, il l'a mise dans une enveloppe destinée à un autre ami, le priant de la transmettre à Lescaut. Par cette missive, il lui demande de lui procurer un pistolet, dont il précise qu'il ne doit pas être chargé, car il n'a aucune intention de tuer. Lescaut, se faisant passer pour son frère, le lui apporte.]

Lorsque je me trouvai muni de l'instrument de ma liberté, je ne doutai presque plus du succès de mon projet. Il était bizarre et hardi; mais de quoi n'étais-je pas capable, avec les motifs qui m'animaient? J'avais remarqué, depuis qu'il m'était permis de sortir de ma chambre et de me promener dans les galeries, que le portier apportait chaque jour au soir les clefs de toutes les portes au supérieur, et qu'il régnait ensuite un profond silence dans la maison, qui marquait que tout le monde était retiré. Je pouvais aller sans obstacle, par une galerie de communication, de ma chambre à celle de ce Père. Ma résolution était de lui prendre ses clefs, en l'épouvantant avec mon pistolet s'il faisait difficulté de me les donner, et de m'en servir pour gagner la rue. **(57)** J'en attendis le temps avec impatience. Le portier vint à l'heure ordinaire, c'est-à-dire un peu après neuf heures. J'en laissai passer encore une, pour m'assurer que tous les religieux et les domestiques étaient endormis. Je partis enfin, avec mon arme et une chandelle allumée. Je frappai d'abord doucement à la porte du

## QUESTIONS

**56.** Analysez la progression de cette discussion philosophique. Par quel argument Tiberge entend-il prouver à des Grieux l'anomalie de sa conduite? En quoi est-il maladroit? Comment des Grieux s'y prend-il pour retourner l'argument contre son ami? Montrez la précision et la logique de son raisonnement; le caractère rhétorique de ses phrases. — Quels arguments des Grieux suggère-t-il à Tiberge contre sa propre cause? Pourquoi Prévost les fait-il présenter par celui-ci et non pas par son ami? — A quelle idée se réfère enfin des Grieux pour montrer le caractère inévitable de son comportement, quelle que soit la connaissance qu'il ait du véritable « bien »? Qu'y a-t-il de janséniste dans cette idée? — Cette scène ne semble-t-elle pas artificielle? Étant donné la situation, ne peut-on pas lui reprocher de ralentir l'action? Quel est cependant son intérêt pour le sens du roman? Quelles lumières apporte-t-elle sur la pensée religieuse de Prévost? Montrez qu'il a voulu souligner ici l'aspect spécieux et artificiel des raisonnements théologiques.

**57.** Le plan de Des Grieux : en quoi consiste sa hardiesse? Précisez les risques qu'il comporte. Quelle culpabilité entraîne-t-il pour le héros? Un détail rassure le lecteur et lui permet de garder sa sympathie pour le chevalier : lequel? — L'art du récit : analysez la manière dont est ménagée la curiosité du lecteur dans la révélation progressive du projet de Des Grieux.

Père, pour l'éveiller sans bruit. Il m'entendit au second coup, et s'imaginant, sans doute, que c'était quelque religieux qui se trouvait mal[108] et qui avait besoin de secours, il se leva pour m'ouvrir. Il eut, néanmoins, la précaution de demander, au travers de la porte, qui c'était et ce qu'on voulait de lui. Je fus obligé de me nommer; mais j'affectai un ton plaintif, pour lui faire comprendre que je ne me trouvais pas bien. **(58)** « Ah! c'est vous, mon cher fils, me dit-il, en ouvrant la porte; qu'est-ce donc qui vous amène si tard? » J'entrai dans sa chambre, et l'ayant tiré à l'autre bout opposé à la porte, je lui déclarai qu'il m'était impossible de demeurer plus longtemps à Saint-Lazare; que la nuit était un temps commode pour sortir sans être aperçu, et que j'attendais de son amitié qu'il consentirait à m'ouvrir les portes, ou à me prêter ses clefs pour les ouvrir moi-même.

Ce compliment[109] devait le surprendre. Il demeura quelque temps à me considérer, sans me répondre. Comme je n'en avais pas à perdre, je repris la parole pour lui dire que j'étais fort touché de toutes ses bontés, mais que, la liberté étant le plus cher de tous les biens, surtout pour moi à qui on la ravissait injustement, j'étais résolu de me la procurer cette nuit même, à quelque prix que ce fût; et de peur qu'il ne lui prît envie d'élever la voix pour appeler du secours, je lui fis voir une honnête raison de silence, que je tenais sous mon juste-au-corps. « Un pistolet! me dit-il. Quoi! mon fils, vous voulez m'ôter la vie, pour reconnaître la considération que j'ai eue pour vous? — A Dieu ne plaise, lui répondis-je. Vous avez trop d'esprit et de raison pour me mettre dans cette nécessité; mais je veux être libre, et j'y suis si résolu que, si mon projet manque par votre faute, c'est fait de vous absolument. — Mais, mon cher fils, reprit-il d'un air pâle et effrayé, que vous ai-je fait? quelle raison avez-vous de vouloir ma mort? — Eh non! répliquai-je avec impatience. Je n'ai pas dessein de vous tuer, si vous voulez vivre. Ouvrez-moi la porte, et je suis le meilleur de vos amis. » J'aperçus les clefs qui étaient sur sa table.

---

**108.** *Se trouver mal :* signifie ici « avoir un malaise » et non, comme dans la langue actuelle, « s'évanouir »; **109.** *Compliment :* ici, langage.

## QUESTIONS

**58.** L'exécution du plan : étudiez le rythme de ce début de récit; comment y est créée une impression de crainte et de mystère? Remarquez l'importance accordée aux notations d'obscurité et de silence.

Je les pris et je le priai de me suivre, en faisant le moins de bruit qu'il pourrait. Il fut obligé de s'y résoudre. A mesure que nous avancions et qu'il ouvrait une porte, il me répétait avec un soupir : « Ah! mon fils, ah! qui l'aurait cru? — Point de bruit, mon Père, répétais-je de mon côté à tout moment. » **(59)** Enfin nous arrivâmes à une espèce de barrière, qui est avant la grande porte de la rue. Je me croyais déjà libre, et j'étais derrière le Père, avec ma chandelle dans une main et mon pistolet dans l'autre. Pendant qu'il s'empressait d'ouvrir, un domestique, qui couchait dans une petite chambre voisine, entendant le bruit de quelques verrous, se lève et met la tête à sa porte. Le bon Père le crut apparemment capable de m'arrêter. Il lui ordonna, avec beaucoup d'imprudence, de venir à son secours. C'était un puissant coquin, qui s'élança sur moi sans balancer[110]. Je ne le marchandai[111] point; je lui lâchai le coup au milieu de la poitrine. « Voilà de quoi vous êtes cause, mon Père, dis-je assez fièrement à mon guide. Mais que cela ne vous empêche point d'achever, ajoutai-je en le poussant vers la dernière porte. » Il n'osa refuser de l'ouvrir. Je sortis heureusement et je trouvai, à quatre pas, Lescaut qui m'attendait avec deux amis, suivant sa promesse.

Nous nous éloignâmes. Lescaut me demanda s'il n'avait pas entendu tirer un pistolet. « C'est votre faute, lui dis-je; pourquoi me l'apportiez-vous chargé? » Cependant je le remerciai d'avoir eu cette précaution, sans laquelle j'étais sans doute à Saint-Lazare pour longtemps. **(60)**

---

**110.** *Balancer :* voir note 9; **111.** *Marchander :* ici, épargner.

## QUESTIONS

**59.** Quels sont les sentiments du supérieur au cours de cette scène? Comment se traduisent-ils dans son ton et dans ses formules? — Montrez la grossièreté et le cynisme de Des Grieux? Soulignez dans ses paroles le ton de l'ultimatum, celui de la menace. — Appréciez le fait qu'il ne cherche même pas à se justifier, mais se contente de donner des ordres; montrez que l'échange de répliques : « Ah! mon fils... » — « Point de bruit... » est particulièrement révélateur à cet égard.

**60.** Le meurtre : montrez la rapidité de la scène; pourquoi des Grieux insiste-t-il sur le caractère brutal et inattendu de l'irruption du domestique? En quoi cela peut-il constituer pour lui une circonstance atténuante? — Cette scène aura-t-elle une conséquence directe sur le déroulement de l'intrigue? Indiquez son intérêt. Que révèle-t-elle de l'évolution qui s'est faite en des Grieux? Remarquez en particulier comment il accepte son forfait et avec quelle légèreté il s'en disculpe; sur qui en rejette-t-il la responsabilité? — Montrez que cet événement marque une étape décisive dans l'aggravation de la culpabilité de Des Grieux.

[Des Grieux, enfin libre, songe aussitôt à délivrer Manon; il va rôder autour de l'Hôpital et, en interrogeant habilement le concierge, il apprend qu'un des administrateurs, M. de T..., a un fils sensiblement du même âge que lui. Il parvient à faire la connaissance de ce jeune homme et gagne sa sympathie en lui faisant le récit de ses malheurs : cependant, le nouvel ami de Des Grieux ne peut rien faire pour obtenir la libération de Manon; mais il peut du moins lui venir en aide en lui permettant de la voir; c'est dans ce dessein qu'ils se rendent alors tous deux à l'Hôpital.]

M. de T... parla à quelques concierges de la maison qui s'empressèrent de lui offrir tout ce qui dépendait d'eux pour sa satisfaction. Il se fit montrer le quartier[112] où Manon avait sa chambre, et l'on nous y conduisit avec une clef d'une grandeur effroyable, qui servit à ouvrir sa porte. Je demandai au valet qui nous menait, et qui était celui qu'on avait chargé du soin de la servir, de quelle manière elle avait passé le temps dans cette demeure. Il nous dit que c'était une douceur angélique; qu'il n'avait jamais reçu d'elle un mot de dureté; qu'elle avait versé continuellement des larmes pendant les six premières semaines après son arrivée, mais que, depuis quelque temps, elle paraissait prendre son malheur avec plus de patience, et qu'elle était occupée à coudre du matin jusqu'au soir, à la réserve de quelques heures qu'elle employait à la lecture. Je lui demandai encore si elle avait été entretenue proprement[113]. Il m'assura que le nécessaire, du moins, ne lui avait jamais manqué. **(61)**

Nous approchâmes de sa porte. Mon cœur battait violemment. Je dis à M. de T... : « Entrez seul et prévenez-la sur ma visite, car j'appréhende qu'elle ne soit trop saisie en me

---

**112.** *Quartier :* partie du bâtiment. A certains autres détails du roman, il apparaît que Manon doit être détenue dans le quartier dénommé la *Correction*, qui existait encore au début du XX^e^ siècle. Les détenues qui y étaient logées avaient un régime sensiblement moins dur que les autres; **113.** *Proprement :* avec une certaine élégance.

**QUESTIONS**

**61.** Montrez que ce préambule est destiné à susciter notre compassion et à nous inspirer un sentiment de révolte et d'injustice devant l'horreur du sort de Manon : quels sont les détails qui suggèrent la rigueur de sa détention? Montrez le caractère édifiant de son comportement en prison. Quel effet supplémentaire naît du fait que ce portrait de Manon est placé dans la bouche de son geôlier? S'agit-il de sa part d'une attitude analogue à celle de Des Grieux à Saint-Lazare?

voyant tout d'un coup. » La porte nous fut ouverte. Je demeurai dans la galerie. J'entendis néanmoins leurs discours. Il lui dit qu'il venait lui apporter un peu de consolation, qu'il était de mes amis, et qu'il prenait beaucoup d'intérêt à notre bonheur. Elle lui demanda, avec le plus vif empressement, si elle apprendrait de lui ce que j'étais devenu. Il lui promit de m'amener à ses pieds, aussi tendre, aussi fidèle qu'elle pouvait le désirer. « Quand? reprit-elle. — Aujourd'hui même, lui dit-il; ce bienheureux moment ne tardera point; il va paraître à l'instant si vous le souhaitez. » Elle comprit que j'étais à la porte. J'entrai, lorsqu'elle y accourait avec précipitation. Nous nous embrassâmes avec cette effusion de tendresse qu'une absence de trois mois fait trouver si charmante à de parfaits amants. Nos soupirs, nos exclamations interrompues, mille noms d'amour répétés languissamment de part et d'autre, formèrent, pendant un quart d'heure, une scène qui attendrissait M. de T... « Je vous porte envie, me dit-il, en nous faisant asseoir; il n'y a point de sort glorieux auquel je ne préférasse une maîtresse si belle et si passionnée. — Aussi mépriserais-je tous les empires du monde, lui répondis-je, pour m'assurer le bonheur d'être aimé d'elle. »

Tout le reste d'une conversation si désirée ne pouvait manquer d'être infiniment tendre. La pauvre Manon me raconta ses aventures, et je lui appris les miennes. Nous pleurâmes amèrement en nous entretenant de l'état où elle était, et de celui d'où je ne faisais que sortir. M. de T... nous consola par de nouvelles promesses de s'employer ardemment pour finir nos misères. Il nous conseilla de ne pas rendre cette première entrevue trop longue, pour lui donner plus de facilité à nous en procurer d'autres. Il eut beaucoup de peine à nous faire goûter ce conseil; Manon, surtout, ne pouvait se résoudre à me laisser partir. Elle me fit remettre cent fois sur ma chaise; elle me retenait par les habits et par les mains. « Hélas! dans quel lieu me laissez-vous! disait-elle. Qui peut m'assurer de vous revoir? » M. de T... lui promit de la venir voir souvent avec moi. « Pour le lieu, ajouta-t-il agréablement, il ne faut plus l'appeler l'Hôpital; c'est Versailles, depuis qu'une personne qui mérite l'empire de tous les cœurs y est renfermée. »

Je fis, en sortant, quelques libéralités au valet qui la servait, pour l'engager à lui rendre ses soins avec zèle. Ce garçon avait l'âme moins basse et moins dure que ses pareils. Il avait été témoin de notre entrevue; ce tendre spectacle l'avait touché.

Phot. B. N.

« Mais figurez-vous ma pauvre maîtresse enchaînée par le milieu du corps... » (p. 120).

Illustration de Maurice Leloir.

Un louis d'or, dont je lui fis présent, acheva de me l'attacher. Il me prit à l'écart, en descendant dans les cours. « Monsieur, me dit-il, si vous me voulez prendre à votre service, ou me donner une honnête récompense pour me dédommager de la perte de l'emploi que j'occupe ici, je crois qu'il me sera facile de délivrer Mademoiselle Manon. » (**62**)

[Le valet se montre disposé à ouvrir secrètement, un soir, la porte de l'Hôpital à Manon; des Grieux n'aura qu'à l'attendre à l'extérieur pour s'enfuir avec elle. Malgré les risques que comporte une telle aventure, des Grieux est prêt à s'y engager; pour plus de précautions, il décide, sur les conseils de M. de T..., de procurer à Manon des habits d'homme, qui lui permettront de sortir en passant inaperçue.]

Nous retournâmes le matin à l'Hôpital. J'avais avec moi, pour Manon, du linge, des bas, etc., et par-dessus mon juste-au-corps, un surtout[114] qui ne laissait rien voir de trop enflé dans mes poches. Nous ne fûmes qu'un moment dans sa chambre. M. de T... lui laissa une de ses deux vestes; je lui donnai mon juste-au-corps, le surtout me suffisant pour sortir.

---

**114.** Le *surtout* est une sorte de casaque qu'on met sur les autres habits; le *justaucorps* est un vêtement à manches, ajusté, qui va jusqu'aux genoux.

## QUESTIONS

**62.** Pourquoi des Grieux ne va-t-il pas tout de suite retrouver Manon? Que redoute-t-il, ainsi que le lecteur? — Comment ces retrouvailles font-elles éclater la violence et la pureté de l'amour qui lie Manon à des Grieux? — Montrez le caractère juvénile et pudique de leurs manifestations de tendresse; — appréciez la rapidité avec laquelle l'unisson s'établit dans les réactions des deux amants, révélant entre eux une harmonie transcendante qui triomphe de l'espace et du temps. — Montrez que toute cette scène émouvante est essentiellement une scène de réhabilitation :

— par l'image rayonnante qu'elle suggère de la passion réciproque de Manon et de Des Grieux, qui excuse les crimes commis au nom de cette passion;

— par l'abondance de détails pathétiques qui suscitent notre compassion;

— par la présence de personnages secondaires dont les sentiments et les réactions orientent les impressions du lecteur. Remarquez en particulier comment le ton légèrement emphatique de M. de T... révèle bien l'idée qu'il se fait de la solennité du moment.

— Pourquoi des Grieux refuse-t-il d'attribuer uniquement à la compassion la proposition généreuse du valet? Montrez que cela est conforme à une certaine conception aristocratique de la sensibilité et de la générosité. Dans quels autres passages du roman cette conception se manifeste-t-elle également?

Il ne se trouva rien de manque à son ajustement, excepté la culotte que j'avais malheureusement oubliée. L'oubli de cette pièce nécessaire nous eût, sans doute, apprêté à rire si l'embarras où il nous mettait eût été moins sérieux. J'étais au désespoir qu'une bagatelle de cette nature fût capable de nous arrêter. Cependant, je pris mon parti, qui fut de sortir moi-même sans culotte. Je laissai la mienne à Manon. Mon surtout était long, et je me mis, à l'aide de quelques épingles, en état de passer décemment à la porte. Le reste du jour me parut d'une longueur insupportable. Enfin, la nuit étant venue, nous nous rendîmes un peu au-dessous de la porte de l'Hôpital, dans un carrosse. Nous n'y fûmes pas longtemps sans voir Manon paraître avec son conducteur. Notre portière étant ouverte, ils montèrent tous deux à l'instant. Je reçus ma chère maîtresse dans mes bras. Elle tremblait comme une feuille. Le cocher me demanda où il fallait toucher. « Touche au bout du monde, lui dis-je, et mène-moi quelque part où je ne puisse jamais être séparé de Manon. »

Ce transport, dont je ne fus pas le maître, faillit de m'attirer un fâcheux embarras. Le cocher fit réflexion à mon langage, et lorsque je lui dis ensuite le nom de la rue où nous voulions être conduits, il me répondit qu'il craignait que je ne l'engageasse dans une mauvaise affaire, qu'il voyait bien que ce beau jeune homme, qui s'appelait Manon, était une fille que j'enlevais de l'Hôpital, et qu'il n'était pas d'humeur à se perdre pour l'amour de moi. La délicatesse[115] de ce coquin n'était qu'une envie de me faire payer la voiture plus cher. Nous étions trop près de l'Hôpital pour ne pas filer doux. « Tais-toi, lui dis-je, il y a un louis d'or à gagner pour toi. » Il m'aurait aidé, après cela, à brûler l'Hôpital même. Nous gagnâmes la maison où demeurait Lescaut. Comme il était tard, M. de T... nous quitta en chemin, avec promesse de nous revoir le lendemain. Le valet demeura seul avec nous.

Je tenais Manon si étroitement serrée entre mes bras que nous n'occupions qu'une place dans le carrosse. Elle pleurait de joie, et je sentais ses larmes qui mouillaient mon visage mais, lorsqu'il fallut descendre pour entrer chez Lescaut, j'eus avec le cocher un nouveau démêlé, dont les suites furent funestes. Je me repentis de lui avoir promis un louis, non seulement

---

**115.** *Délicatesse :* attitude réticente.

parce que le présent était excessif, mais par une autre raison bien plus forte, qui était l'impuissance de le payer. Je fis appeler Lescaut. Il descendit de sa chambre pour venir à la porte. Je lui dis à l'oreille dans quel embarras je me trouvais. Comme il était d'une humeur brusque, et nullement accoutumé à ménager un fiacre[116], il me répondit que je me moquais. « Un louis d'or! ajouta-t-il. Vingt coups de canne à ce coquin-là! » J'eus beau lui représenter doucement qu'il allait nous perdre, il m'arracha ma canne, avec l'air d'en vouloir maltraiter le cocher. Celui-ci, à qui il était peut-être arrivé de tomber quelquefois sous la main d'un garde du corps ou d'un mousquetaire, s'enfuit de peur, avec son carrosse, en criant que je l'avais trompé, mais que j'aurais de ses nouvelles. Je lui répétai inutilement d'arrêter. Sa fuite me causa une extrême inquiétude. Je ne doutai point qu'il n'avertît le commissaire. « Vous me perdez, dis-je à Lescaut. Je ne serais pas en sûreté chez vous; il faut nous éloigner dans le moment. » Je prêtai le bras à Manon pour marcher, et nous sortîmes promptement de cette dangereuse rue. Lescaut nous tint compagnie. **(63)** C'est quelque chose d'admirable[117] que la manière dont la Providence enchaîne les événements. A peine avions-nous marché cinq ou six minutes, qu'un homme, dont je ne découvris point le visage, reconnut Lescaut. Il le cherchait sans doute aux environs de chez lui, avec le malheureux dessein qu'il exécuta. « C'est Lescaut, dit-il, en lui lâchant un coup de pistolet; il

---

**116.** *Un fiacre :* c'est-à-dire un cocher de fiacre; **117.** *Admirable :* très étonnant.

## QUESTIONS

**63.** Montrez que le récit de l'évasion est conforme aux lois du roman d'aventures :

— par le sujet même et par le procédé du travesti utilisé pour mettre le projet à exécution;

— par l'accumulation d'obstacles inattendus dont les héros triomphent grâce à leur sang-froid et à leur ingéniosité;

— par l'importance du rôle joué par le hasard, qui suscite des difficultés imprévues et en offre, à point nommé, la solution.

— Le premier obstacle : l'oubli de la culotte; en quoi consiste le comique de cet incident? Quel effet de contraste produit-il?

— L'incident du cocher : montrez que cette difficulté ne naît pas seulement du hasard, mais aussi des sentiments mêmes que la situation inspire à des Grieux; relevez des traits de parler populaire dans le langage du cocher.

— Quelle difficulté nouvelle crée le comportement de Lescaut? Peut-on dire qu'elle se résout?

ira souper ce soir avec les anges. » Il se déroba aussitôt. Lescaut tomba, sans le moindre mouvement de vie. Je pressai Manon de fuir, car nos secours étaient inutiles à un cadavre, et je craignais d'être arrêté par le guet[118], qui ne pouvait tarder à paraître. J'enfilai, avec elle et le valet, la première petite rue qui croisait. Elle était si éperdue que j'avais de la peine à la soutenir. Enfin j'aperçus un fiacre au bout de la rue. Nous y montâmes, mais lorsque le cocher me demanda où il fallait nous conduire, je fus embarrassé à lui répondre. Je n'avais point d'asile assuré ni d'ami de confiance à qui j'osasse avoir recours. J'étais sans argent, n'ayant guère plus d'une demi-pistole dans ma bourse. La frayeur et la fatigue avaient tellement incommodé Manon qu'elle était à demi pâmée près de moi. J'avais, d'ailleurs, l'imagination remplie du meurtre de Lescaut, et je n'étais pas encore sans appréhension de la part du guet. Quel parti prendre? Je me souvins heureusement de l'auberge de Chaillot, où j'avais passé quelques jours avec Manon, lorsque nous étions allés dans ce village pour y demeurer. J'espérai non seulement d'y être en sûreté, mais d'y pouvoir vivre quelque temps sans être pressé de payer. « Mène-nous à Chaillot, dis-je au cocher. » Il refusa d'y aller si tard, à moins d'une pistole : autre sujet d'embarras. Enfin nous convînmes de six francs; c'était toute la somme qui restait dans ma bourse. **(64)**

Je consolais Manon, en avançant; mais, au fond, j'avais le désespoir dans le cœur. Je me serais donné mille fois la mort, si je n'eusse pas eu, dans mes bras, le seul bien qui m'attachait à la vie. Cette seule pensée me remettait. Je la tiens du moins, disais-je; elle m'aime, elle est à moi. Tiberge a beau dire, ce n'est pas là un fantôme de bonheur. Je verrais périr tout l'univers sans y prendre intérêt. Pourquoi? Parce que je n'ai plus d'affection de reste. Ce sentiment était vrai; cepen-

---

**118.** *Guet :* primitivement, des milices municipales, groupées par corps de métier, surveillaient la nuit les remparts et les rues de la ville. A Paris, Saint Louis établit le *guet royal*, qui était une véritable troupe permanente comprenant 160 cavaliers et 472 fantassins.

## QUESTIONS

**64.** Le meurtre de Lescaut : en quoi complique-t-il la situation? en quoi la simplifie-t-il? Que pensez-vous de la manière dont les deux héros réagissent devant cet événement? Pourquoi le lecteur n'est-il pas très choqué par ce comportement (personnalité de Lescaut, situation des personnages)?

dant, dans le temps que je faisais si peu de cas des biens du monde, je sentais que j'aurais eu besoin d'en avoir du moins une petite partie, pour mépriser encore plus souverainement tout le reste. L'amour est plus fort que l'abondance, plus fort que les trésors et les richesses, mais il a besoin de leur secours; et rien n'est plus désespérant, pour un amant délicat, que de se voir ramené par là, malgré lui, à la grossièreté des âmes les plus basses.

Il était onze heures quand nous arrivâmes à Chaillot. Nous fûmes reçus à l'auberge comme des personnes de connaissance; on ne fut pas surpris de voir Manon en habit d'homme, parce qu'on est accoutumé, à Paris et aux environs, de voir prendre aux femmes toutes sortes de formes. Je la fis servir aussi proprement[119] que si j'eusse été dans la meilleure fortune. Elle ignorait que je fusse mal en argent; je me gardai bien de lui en rien apprendre, étant résolu de retourner seul à Paris, le lendemain, pour chercher quelque remède à cette fâcheuse espèce de maladie. **(65)**

Elle me parut pâle et maigrie, en soupant. Je ne m'en étais point aperçu à l'Hôpital, parce que la chambre où je l'avais vue n'était pas des plus claires. Je lui demandai si ce n'était point encore un effet de la frayeur qu'elle avait eue en voyant assassiner son frère. Elle m'assura que, quelque touchée qu'elle fût de cet accident, sa pâleur ne venait que d'avoir essuyé pendant trois mois mon absence. « Tu m'aimes donc extrêmement? lui répondis-je. — Mille fois plus que je ne puis dire, reprit-elle. — Tu ne me quitteras donc plus jamais? ajoutai-je. — Non, jamais », répliqua-t-elle; et cette assurance fut confirmée par tant de caresses et de serments, qu'il me parut impossible, en effet, qu'elle pût jamais les oublier. J'ai toujours été persuadé qu'elle était sincère; quelle raison aurait-elle eue de se contrefaire jusqu'à ce point? Mais elle était encore plus volage, ou plutôt elle n'était plus rien, et elle ne se reconnaissait pas elle-même, lorsque, ayant devant les yeux des femmes qui vivaient dans l'abondance, elle se trouvait dans

---

**119.** *Proprement* : élégamment.

## QUESTIONS

**65.** Quelle est la cause du désespoir de Des Grieux? Montrez d'après ces réflexions la place de la question d'argent dans le roman. En quoi cela fait-il de *Manon* une œuvre différente des romans galants traditionnels?

la pauvreté et dans le besoin. J'étais à la veille d'en avoir une dernière preuve qui a surpassé toutes les autres, et qui a produit la plus étrange aventure qui soit jamais arrivée à un homme de ma naissance et de ma fortune[120]. **(66) (67)**

[Des Grieux se préoccupe de trouver des ressources. Tiberge, qui ignore la fuite de Manon, lui prête à nouveau volontiers cent pistoles et, non sans lui reprocher sa témérité, l'informe que la mort du portier est restée secrète grâce au supérieur. Il ne sera donc pas poursuivi s'il se réconcilie au plus tôt avec sa famille. M. de T..., de son côté, a détourné les soupçons pour l'évasion de Manon, dont on croit réellement qu'elle a fui avec un valet. Quant à la mort de Lescaut, on en sait la cause : un garde du corps, dépouillé par lui au jeu, avait juré de lui casser la tête. Les deux amants ont vraiment une chance inouïe. Le chevalier des Grieux, sur la prière de l'homme de qualité, prend ici un peu de relâche.]

---

**120.** *Fortune :* a ici le sens étymologique de « condition sociale ».

## QUESTIONS

**66.** Montrez la banalité du dialogue amoureux.
Manon est-elle sincère dans ses promesses à des Grieux? S'il ne doute pas de sa sincérité, des Grieux a-t-il cependant la même confiance qu'autrefois dans les assurances de fidélité de Manon? Montrez le caractère pathétique de sa lucidité à ce moment.

**67.** Sur l'ensemble de l'épisode « Premier séjour en prison ». — En quoi consiste le réalisme de l'épisode? Peut-on cependant parler de pittoresque ici?
— Montrez comment s'y mêlent le genre du roman psychologique et celui du roman d'aventures.
— La question d'argent dans le roman à la lumière de cet épisode.

## DEUXIÈME PARTIE

[Installé avec Manon dans leur demeure de Chaillot, des Grieux croit avoir enfin trouvé le bonheur lorsqu'une nouvelle menace vient troubler sa quiétude. Son valet lui révèle en effet l'étrange manège d'un inconnu qui guette régulièrement Manon au cours de sa promenade matinale au bois de Boulogne, et semble animé d'un vif amour pour elle. Certains renseignements lui ont permis de savoir qu'il s'agit d'un prince italien. Les craintes de Des Grieux se trouvent avivées le lendemain, lorsque le valet l'avertit que, le matin, Manon s'est écartée un instant de ses gens pour rencontrer cet homme, à qui elle a remis une lettre accueillie avec des transports de joie.]

### [LE PRINCE ITALIEN.]

Je ne sais à quoi les tourments de mon cœur m'auraient porté si Manon, qui m'avait entendu rentrer, ne fût venue au-devant de moi avec un air d'impatience et des plaintes de ma lenteur. Elle n'attendit point ma réponse pour m'accabler de caresses, et lorsqu'elle se vit seule avec moi, elle me fit des reproches fort vifs de l'habitude que je prenais de revenir si tard. Mon silence lui laissant la liberté de continuer, elle me dit que, depuis trois semaines, je n'avais pas passé une journée entière avec elle; qu'elle ne pouvait soutenir de si longues absences; qu'elle me demandait du moins un jour, par intervalles; et que, dès le lendemain, elle voulait me voir près d'elle du matin au soir. « J'y serai, n'en doutez pas, lui répondis-je d'un ton assez brusque. » Elle marqua peu d'attention pour mon chagrin, et dans le mouvement de sa joie, qui me parut en effet d'une vivacité singulière, elle me fit mille peintures plaisantes de la manière dont elle avait passé le jour. Étrange fille! me disais-je à moi-même; que dois-je attendre de ce prélude? L'aventure de notre première séparation me revint à l'esprit. Cependant je croyais voir, dans le fond de sa joie et de ses caresses, un air de vérité qui s'accordait avec les apparences. **(68)**

**QUESTIONS**

**68.** Pourquoi le comportement de Manon déconcerte-t-il des Grieux? Qu'a-t-il à la fois de rassurant et d'inquiétant?

— Quelle analogie semble-t-il y avoir entre l'aventure qui se prépare et la première trahison de Manon? Soulignez l'identité de l'attitude de Des Grieux. Intérêt de cette similitude. Analysez l'attitude qui naît chez le lecteur.

Il ne me fut pas difficile de rejeter la tristesse, dont je ne pus me défendre pendant notre souper, sur une perte que je me plaignis d'avoir faite au jeu. J'avais regardé comme un extrême avantage que l'idée de ne pas quitter Chaillot le jour suivant fût venue d'elle-même. C'était gagner du temps pour mes délibérations. Ma présence éloignait toutes sortes de craintes pour le lendemain, et si je ne remarquais rien qui m'obligeât de faire éclater mes découvertes, j'étais déjà résolu de transporter, le jour d'après, mon établissement à la ville, dans un quartier où je n'eusse rien à démêler avec les princes. Cet arrangement me fit passer une nuit plus tranquille, mais il ne m'ôtait pas la douleur d'avoir à trembler pour une nouvelle infidélité. **(69)**

A mon réveil, Manon me déclara que, pour passer le jour dans notre appartement, elle ne prétendait pas que j'en eusse l'air plus négligé, et qu'elle voulait que mes cheveux fussent accommodés de ses propres mains. Je les avais fort beaux. C'était un amusement qu'elle s'était donné plusieurs fois; mais elle y apporta plus de soins que je ne lui en avais jamais vu prendre. Je fus obligé, pour la satisfaire, de m'asseoir devant sa toilette, et d'essuyer toutes les petites recherches qu'elle imagina pour ma parure. Dans le cours de son travail, elle me faisait tourner souvent le visage vers elle, et s'appuyant des deux mains sur mes épaules, elle me regardait avec une curiosité avide. Ensuite, exprimant sa satisfaction par un ou deux baisers, elle me faisait reprendre ma situation pour continuer son ouvrage. Ce badinage nous occupa jusqu'à l'heure du dîner. Le goût qu'elle y avait pris m'avait paru si naturel, et sa gaieté sentait si peu l'artifice, que ne pouvant concilier des apparences si constantes[121] avec le projet d'une noire trahison, je fus tenté plusieurs fois de lui ouvrir mon cœur, et de me décharger d'un fardeau qui commençait à me peser. Mais je me flattais, à chaque instant, que l'ouverture viendrait d'elle, et je m'en faisais d'avance un délicieux triomphe. **(70)**

---

**121.** *Constant :* indubitable.

**QUESTIONS**

**69.** Pourquoi des Grieux n'interroge-t-il pas Manon? Que redoute-t-il? Qu'espère-t-il? En quoi son attitude révèle-t-elle la faiblesse de son caractère?

**70.** Montrez que cette scène souligne bien le caractère superficiel et égoïste de l'amour de Manon pour des Grieux. Quels sont les sentiments de Des Grieux devant la scène?

Nous rentrâmes dans son cabinet. Elle se mit à rajuster mes cheveux, et ma complaisance me faisait céder à toutes ses volontés, lorsqu'on vint l'avertir que le prince de... demandait à la voir. Ce nom m'échauffa jusqu'au transport. « Quoi donc? m'écriai-je en la repoussant. Qui? Quel prince? » Elle ne répondit point à mes questions. « Faites-le monter, dit-elle froidement au valet; et se tournant vers moi : Cher amant, toi que j'adore, reprit-elle d'un ton enchanteur, je te demande un moment de complaisance, un moment, un seul moment. Je t'en aimerai mille fois plus. Je t'en saurai gré toute ma vie. » **(71)**

L'indignation et la surprise me lièrent la langue. Elle répétait ses instances, et je cherchais des expressions pour les rejeter avec mépris. Mais, entendant ouvrir la porte de l'antichambre, elle empoigna d'une main mes cheveux, qui étaient flottants sur mes épaules, elle prit de l'autre son miroir de toilette; elle employa toute sa force pour me traîner dans cet état jusqu'à la porte du cabinet, et l'ouvrant du genou, elle offrit à l'étranger, que le bruit semblait avoir arrêté au milieu de la chambre, un spectacle qui ne dut pas lui causer peu d'étonnement. Je vis un homme fort bien mis, mais d'assez mauvaise mine[122]. Dans l'embarras où le jetait cette scène, il ne laissa pas de faire une profonde révérence. Manon ne lui donna pas le temps d'ouvrir la bouche. Elle lui présenta son miroir : « Voyez, monsieur, lui dit-elle, regardez-vous bien, et rendez-moi justice. Vous me demandez de l'amour. Voici l'homme que j'aime, et que j'ai juré d'aimer toute ma vie. Faites la comparaison vous-même. Si vous croyez lui pouvoir disputer mon cœur, apprenez-moi donc sur quel fondement, car je vous déclare qu'aux yeux de votre servante très humble, tous les princes d'Italie ne valent pas un des cheveux que je tiens. » **(72)**

---

**122.** *Mine :* apparence.

## QUESTIONS

**71.** Qu'est-ce qui, plus encore que la certitude d'être trahi, provoque l'indignation de Des Grieux? — Que laisse présager, pour le lecteur habitué aux manières de Manon, la harangue qu'elle adresse à des Grieux? Quel est en particulier le mot qui, par son ambiguïté, le confirme dans son interprétation erronée mais vraisemblable des faits?

**72.** Soulignez le caractère énigmatique de cette scène jusqu'à son explication. — Montrez la cruauté de Manon à l'égard du prince. Pourquoi le lecteur n'est-il pas choqué par ce comportement? Quels sentiments éprouve-t-il en effet à cet instant?

Pendant cette folle harangue, qu'elle avait apparemment méditée, je faisais des efforts inutiles pour me dégager, et prenant pitié d'un homme de considération, je me sentais porté à réparer ce petit outrage par mes politesses. Mais, s'étant remis assez facilement, sa réponse, que je trouvai un peu grossière, me fit perdre cette disposition. « Mademoiselle, mademoiselle, lui dit-il avec un sourire forcé, j'ouvre en effet les yeux, et je vous trouve bien moins novice que je ne me l'étais figuré. » Il se retira aussitôt sans jeter les yeux sur elle, en ajoutant, d'une voix plus basse, que les femmes de France ne valaient pas mieux que celles d'Italie. Rien ne m'invitait, dans cette occasion, à lui faire prendre une meilleure idée du beau sexe.

Manon quitta mes cheveux, se jeta dans un fauteuil, et fit retentir la chambre de longs éclats de rire. Je ne dissimulerai pas que je fus touché, jusqu'au fond du cœur, d'un sacrifice que je ne pouvais attribuer qu'à l'amour. Cependant la plaisanterie me parut excessive. Je lui en fis des reproches. Elle me raconta que mon rival, après l'avoir obsédée pendant plusieurs jours au bois de Boulogne, et lui avoir fait deviner ses sentiments par des grimaces, avait pris le parti de lui en faire une déclaration ouverte, accompagnée de son nom et de tous ses titres, dans une lettre qu'il lui avait fait remettre par le cocher qui la conduisait avec ses compagnes; qu'il lui promettait, au delà des monts, une brillante fortune et des adorations éternelles; qu'elle était revenue à Chaillot dans la résolution de me communiquer cette aventure, mais qu'ayant conçu que nous en pouvions tirer de l'amusement, elle n'avait pu résister à son imagination; qu'elle avait offert au Prince italien, par une réponse flatteuse, la liberté de la voir chez elle, et qu'elle s'était fait un second plaisir de me faire entrer dans son plan, sans m'en avoir fait naître le moindre soupçon. Je ne lui dis pas un mot des lumières qui m'étaient venues par une autre voie, et l'ivresse de l'amour triomphant me fit tout approuver. **(73) (74)**

**QUESTIONS**

73. Comment s'explique, malgré la qualité de la preuve d'amour que constitue cette scène, que des Grieux éprouve une certaine gêne? — La réaction du prince : montrez que les propos qui lui sont prêtés révèlent une certaine perversité dans les sentiments qu'il portait à Manon, et que celle-ci se trouve ainsi un peu excusée par l'immoralité de sa victime.

Question 74, v. p. 97.

## [Nouvel emprisonnement.]

[Nouveau coup du sort : le hasard met le couple en présence du fils du vieux G... M..., qui est un ami de M. de T... Il s'éprend de Manon, confie son amour à M. de T..., à qui il demande de l'aider à faire aboutir ses vues. Celui-ci, indigné, avertit des Grieux, qui prévient aussitôt Manon de l'offre qu'elle va probablement recevoir, et qu'il est sûr de la voir rejeter. Mais Manon entend, dit-elle, profiter de cette occasion pour se venger sur le fils des tourments que leur a causés le père : elle écoutera les propositions du jeune G... M..., acceptera ses présents, mais se jouera de lui au dernier moment. Des Grieux, à qui l'aventure précédente a servi de leçon, est très réticent devant ce qui lui semble une imprudence, mais, ne sachant résister à Manon, il finit par céder et, le soir même, M. de G... M... est convié à dîner avec le couple.]

Nous vîmes paraître son carrosse vers les onze heures. Il nous fit des compliments fort recherchés sur la liberté qu'il prenait de venir dîner avec nous. Il ne fut pas surpris de trouver M. de T..., qui lui avait promis la veille de s'y rendre aussi, et qui avait feint quelques affaires pour se dispenser de venir dans la même voiture. Quoiqu'il n'y eût pas un seul de nous qui ne portât la trahison dans le cœur, nous nous mîmes à table avec un air de confiance et d'amitié. G... M... trouva aisément l'occasion de déclarer ses sentiments à Manon. Je ne dus pas lui paraître gênant, car je m'absentai exprès pendant quelques minutes. Je m'aperçus, à mon retour, qu'on ne l'avait pas désespéré par un excès de rigueur. Il était de la meilleure humeur du monde. J'affectai de le paraître aussi. Il riait intérieurement de ma simplicité[123], et moi de la sienne. Pendant tout l'après-midi, nous fûmes l'un pour l'autre une scène fort agréable. Je lui ménageai encore, avant son départ, un moment d'entretien particulier avec Manon, de sorte qu'il eut lieu de s'applaudir de ma complaisance autant que de la bonne chère. **(75)**

123. *Simplicité* : voir note 22.

**QUESTIONS**

**74.** Sur l'ensemble de l'épisode « Le prince italien ». — Cet épisode a été rajouté après coup : vous semble-t-il utile? Peut-on lui reprocher de ralentir l'action? Dégagez son intérêt sur le plan psychologique.

**75.** Comparez cette scène avec celle qui réunit à dîner le vieux G... M..., les deux compères et Lescaut. Ressemblances, différences? Montrez qu'ici, de la même manière, le plaisir de chacun des personnages tient au sentiment que l'autre est sa dupe. — Quelle est, par rapport à l'ensemble du roman, la signification de cette analogie entre les deux scènes?

**L'embarquement de Manon Lescaut.**

Peinture de Ch.-Ed. Delort.

Phot. Goupil.

Aussitôt qu'il fut monté en carrosse avec M. de T..., Manon accourut à moi, les bras ouverts, et m'embrassa en éclatant de rire. Elle me répéta ses discours et ses propositions, sans y changer un mot. Ils se réduisaient à ceci : il l'adorait. Il voulait partager avec elle quarante mille livres de rente dont il jouissait déjà, sans compter ce qu'il attendait après la mort de son père. Elle allait être maîtresse de son cœur et de sa fortune, et, pour gage de ses bienfaits, il était prêt à lui donner un carrosse, un hôtel meublé, une femme de chambre, trois laquais et un cuisinier. « Voilà un fils, dis-je à Manon, bien autrement généreux que son père. Parlons de bonne foi, ajoutai-je; cette offre ne vous tente-t-elle point? — Moi? répondit-elle, en ajustant à sa pensée deux vers de Racine :

*Moi! vous me soupçonnez de cette perfidie?*
*Moi! je pourrais souffrir un visage odieux,*
*Qui rappelle toujours l'Hôpital à mes yeux?*

— Non, repris-je, en continuant la parodie :

*J'aurais peine à penser que l'Hôpital, Madame,*
*Fût un trait dont l'Amour l'eût gravé dans votre âme*[124]. » (76)

Mais c'en est un bien séduisant qu'un hôtel meublé avec un carrosse et trois laquais; et l'amour en a peu d'aussi forts. Elle me protesta que son cœur était à moi pour toujours, et qu'il ne recevrait jamais d'autres traits que les miens. « Les promesses qu'il m'a faites, me dit-elle, sont un aiguillon de vengeance, plutôt qu'un trait d'amour. » Je lui demandai si

124. Racine, *Iphigénie*, acte II, sc. v. Iphigénie découvrant en Ériphile une rivale lui reproche violemment de vouloir la supplanter dans le cœur d'Achille. Celle-ci nie énergiquement et rappelle, à l'appui de ses dires, l'horreur des circonstances dans lesquelles elle vit Achille pour la première fois :

*Moi, vous me soupçonnez de cette perfidie?*
*Moi, j'aimerais, Madame, un vainqueur furieux*
*Qui toujours tout sanglant se présente à mes yeux.*

Mais Iphigénie lui répond avec subtilité :

[...] *ces morts, cette Lesbos, ces cendres, cette flamme*
*Sont les traits dont l'amour l'a gravé dans votre âme.*

## QUESTIONS

76. Montrez le cynisme avec lequel Manon envisage son projet. N'est-on pas étonné de voir des Grieux s'y associer avec tant de facilité? Comment cela s'explique-t-il? — Quel est l'intérêt de la parodie de Racine ici? Y a-t-il une analogie entre la situation ici et dans la tragédie d'*Iphigénie?* La réponse de Des Grieux va-t-elle dans le même sens que celle d'Iphigénie à Ériphile?

elle était dans le dessein d'accepter l'hôtel et le carrosse. Elle me répondit qu'elle n'en voulait qu'à son argent. La difficulté était d'obtenir l'un sans l'autre. Nous résolûmes d'attendre l'entière explication du projet de G... M..., dans une lettre qu'il avait promis de lui écrire. Elle la reçut en effet le lendemain, par un laquais sans livrée, qui se procura fort adroitement l'occasion de lui parler sans témoins. Elle lui dit d'attendre sa réponse, et elle vint m'apporter aussitôt sa lettre. Nous l'ouvrîmes ensemble. **(77)**

[La lettre de G... M... contient le détail des offres fabuleuses qu'il fait à Manon (rente princière, hôtel somptueux, etc.) et lui fixe un rendez-vous pour l'après-midi du surlendemain. Les deux amants décident que ce jour-là des Grieux partira d'abord à la recherche d'un autre logement, tandis que Manon ira rejoindre M. de G... M..., se fera conduire par lui au théâtre, et que, trouvant un prétexte pour quitter sa loge, elle viendra rejoindre des Grieux qui l'attendra dans un fiacre pour l'emmener dans leur nouvelle demeure. Elle prendra avec elle le plus d'argent possible, chargeant du reste le fidèle valet Marcel, celui qui avait aidé à son évasion de l'Hôpital et qui était toujours à leur service.]

Son compte était d'arriver à Paris sur les trois heures. Je partis après elle. J'allais me morfondre, le reste de l'après-midi, dans le café de Féré, au pont Saint-Michel; j'y demeurai jusqu'à la nuit. J'en sortis alors pour prendre un fiacre, que je postai, suivant notre projet, à l'entrée de la rue Saint-André-des-Arcs[125]; ensuite je gagnai à pied la porte de la Comédie[126]. Je fus surpris de n'y pas trouver Marcel, qui devait être à m'attendre. Je pris patience pendant une heure, confondu dans une foule de laquais, et l'œil ouvert sur tous les passants. Enfin, sept heures étant sonnées, sans que j'eusse

---

**125.** Orthographe ancienne de l'actuelle rue Saint-André-des-Arts; **126.** La Comédie-Française, transportée après la mort de Molière rue des Fossés-Saint-Germain-des-Prés (aujourd'hui rue de l'Ancienne-Comédie). La salle fut inaugurée le 18 avril 1869.

**QUESTIONS**

**77.** La scène en deux temps de la remise et de l'ouverture de la lettre : montrez qu'elle schématise bien la « géométrie » de la situation, que le premier temps est conforme à l'image qu'en a G... M... (Manon et lui-même sont complices contre des Grieux, qui est leur dupe) et le second à celle qu'en a des Grieux (c'est G... M... qui est la dupe, et Manon est sa complice). Pourquoi le plaisir de duper est-il plus vif pour des Grieux que pour G... M...?

rien aperçu qui eût rapport à nos desseins, je pris un billet de parterre pour aller voir si je découvrirais Manon et G... M... dans les loges. Ils n'y étaient ni l'un ni l'autre. Je retournai à la porte, où je passai encore un quart d'heure, transporté d'impatience et d'inquiétude. N'ayant rien vu paraître, je rejoignis mon fiacre, sans pouvoir m'arrêter à la moindre résolution **(78)**. Le cocher, m'ayant aperçu, vint quelques pas au-devant de moi pour me dire, d'un air mystérieux, qu'une jolie demoiselle m'attendait depuis une heure dans le carrosse; qu'elle m'avait demandé, à des signes qu'il avait bien reconnus, et qu'ayant appris que je devais revenir, elle avait dit qu'elle ne s'impatienterait point à m'attendre. Je me figurai aussitôt que c'était Manon. J'approchai; mais je vis un joli petit visage, qui n'était pas le sien. C'était une étrangère, qui me demanda d'abord si elle n'avait pas l'honneur de parler à M. le chevalier des Grieux. Je lui dis que c'était mon nom. « J'ai une lettre à vous rendre, reprit-elle, qui vous instruira du sujet qui m'amène, et par quel rapport j'ai l'avantage de connaître votre nom[127]. » Je la priai de me donner le temps de la lire dans un cabaret voisin. Elle voulut me suivre, et elle me conseilla de demander une chambre à part[128]. « De qui vient cette lettre? » lui dis-je en montant : elle me remit à la lecture[129]. **(79)**

Je reconnus la main de Manon. Voici à peu près ce qu'elle me marquait : G... M... l'avait reçue avec une politesse[130] et une magnificence au delà de toutes ses idées. Il l'avait comblée de présents; il lui faisait envisager un sort de reine. Elle m'assurait néanmoins qu'elle ne m'oubliait pas dans cette nouvelle

---

**127.** Remarquez la gaucherie de cette phrase, destinée à souligner la maladresse avec laquelle s'exprime la jeune fille; **128.** La « chambre » dont il est question ici est ce qu'on appellera plus tard un « cabinet particulier »; **129.** L'expression signifie : « elle me demanda de patienter jusqu'à l'instant où je lirai »; **130.** *Politesse :* élégance.

## QUESTIONS

**78.** Appréciez la justesse de la peinture de l'attente. Comment des Grieux trompe-t-il son impatience de retrouver Manon? — La montée de l'inquiétude chez des Grieux : dégagez-en les différentes phases. Quels sont les sentiments de Des Grieux lorsqu'il retourne vers le fiacre?

**79.** Pourquoi la rencontre du cocher va-t-elle rendre plus pathétique la déconvenue de Des Grieux? Montrez en effet qu'il était déjà préparé à l'idée de ne pas voir Manon. — Par quels procédés de style Prévost rend-il la brutalité de sa déception?

splendeur; mais que, n'ayant pu faire consentir G... M... à la mener ce soir à la Comédie, elle remettait à un autre jour le plaisir de me voir; et que, pour me consoler un peu de la peine qu'elle prévoyait que cette nouvelle pouvait me causer, elle avait trouvé le moyen de me procurer une des plus jolies filles de Paris, qui serait la porteuse de son billet. *Signé*, votre fidèle amante, MANON LESCAUT. **(80)**

[D'abord violemment dépité, des Grieux, après avoir juré d'oublier à jamais la « perfide » Manon, songe que, s'il pouvait la voir, elle lui reviendrait; avec la complicité du valet Marcel, il parvient à rejoindre Manon dans l'appartement de G... M..., que, sous un prétexte futile, M. de T... a mandé auprès de lui, pour laisser le champ libre au chevalier.]

Manon était occupée à lire. Ce fut là que j'eus lieu d'admirer[131] le caractère de cette étrange fille. Loin d'être effrayée et de paraître timide en m'apercevant, elle ne donna que ces marques légères de surprise dont on n'est pas le maître à la vue d'une personne qu'on croit éloignée. « Ah! c'est vous, mon amour, me dit-elle en venant m'embrasser avec sa tendresse ordinaire. Bon Dieu! que vous êtes hardi! Qui vous aurait attendu aujourd'hui dans ce lieu? » Je me dégageai de ses bras, et loin de répondre à ses caresses, je la repoussai avec dédain, et je fis deux ou trois pas en arrière pour m'éloigner d'elle. Ce mouvement ne laissa pas de la déconcerter. Elle demeura dans la situation où elle était et elle jeta les yeux sur moi en changeant de couleur. J'étais, dans le fond, si charmé de la revoir, qu'avec tant de justes sujets de colère, j'avais à peine la force d'ouvrir la bouche pour la quereller. Cependant mon cœur saignait du cruel outrage qu'elle m'avait fait. Je le rappelais vivement à ma mémoire, pour exciter mon dépit, et je tâchais de faire briller dans mes yeux un autre feu que celui de l'amour. Comme je demeurai quelque temps en

131. *Admirer :* (sens étymologique) s'étonner de.

## QUESTIONS

**80.** Montrez que le texte de la lettre est cruel pour des Grieux :

— par l'indifférence polie du ton qui rend pathétique l'attente angoissée qu'il vient de vivre;

— par l'image de Manon qu'on y découvre : quelle conception de l'amour une telle missive révèle-t-elle? Comment peut-on expliquer que Manon signe : « votre fidèle amante »?

silence, et qu'elle remarqua mon agitation, je la vis trembler, apparemment par un effet de sa crainte.

Je ne pus soutenir ce spectacle. « Ah! Manon, lui dis-je d'un ton tendre, infidèle et parjure Manon! par où commencerai-je à me plaindre? Je vous vois pâle et tremblante, et je suis encore si sensible à vos moindres peines, que je crains de vous affliger trop par mes reproches. Mais, Manon, je vous le dis, j'ai le cœur percé de la douleur de votre trahison. Ce sont là des coups qu'on ne porte point à un amant, quand on n'a pas résolu sa mort. Voici la troisième fois, Manon, je les ai bien comptées; il est impossible que cela s'oublie. C'est à vous de considérer, à l'heure même, quel parti vous voulez prendre, car mon triste cœur n'est plus à l'épreuve d'un si cruel traitement. Je sens qu'il succombe et qu'il est prêt à se fendre de douleur. Je n'en puis plus, ajoutai-je en m'asseyant sur une chaise; j'ai à peine la force de parler et de me soutenir. »

Elle ne me répondit point, mais, lorsque je fus assis, elle se laissa tomber à genoux et elle appuya sa tête sur les miens, en cachant son visage de mes mains. Je sentis en un instant qu'elle les mouillait de ses larmes. Dieux! de quels mouvements n'étais-je point agité! « Ah! Manon, Manon, repris-je avec un soupir, il est bien tard de me donner des larmes, lorsque vous avez causé ma mort. Vous affectez une tristesse que vous ne sauriez sentir. Le plus grand de vos maux est sans doute ma présence, qui a toujours été importune à vos plaisirs. Ouvrez les yeux, voyez qui je suis; on ne verse pas des pleurs si tendres pour un malheureux qu'on a trahi, et qu'on abandonne cruellement. » Elle baisait mes mains sans changer de posture. « Inconstante Manon, repris-je encore, fille ingrate et sans foi, où sont vos promesses et vos serments? Amante mille fois volage et cruelle, qu'as-tu fait de cet amour que tu me jurais encore aujourd'hui? Juste Ciel, ajoutai-je, est-ce ainsi qu'une infidèle se rit de vous, après vous avoir attesté si saintement? C'est donc le parjure qui est récompensé! Le désespoir et l'abandon sont pour la constance et la fidélité. »

Ces paroles furent accompagnées d'une réflexion si amère, que j'en laissai échapper malgré moi quelques larmes. Manon s'en aperçut au changement de ma voix. Elle rompit enfin le silence. « Il faut bien que je sois coupable, me dit-elle tristement, puisque j'ai pu vous causer tant de douleur et d'émotion; mais que le Ciel me punisse si j'ai cru l'être, ou si j'ai eu la pensée de le devenir! » Ce discours me parut si dépourvu de sens et de bonne foi, que je ne pus me défendre d'un vif mouvement de colère. « Horrible dissimulation! m'écriai-je. Je vois mieux que jamais que tu n'es qu'une coquine et une perfide. C'est à présent que je connais ton misérable caractère. Adieu, lâche créature, continuai-je en me levant; j'aime mieux mourir mille fois que d'avoir désormais le moindre commerce[132] avec toi. Que le Ciel me punisse moi-même si je t'honore jamais du moindre regard! Demeure avec ton nouvel amant, aime-le, déteste-moi, renonce à l'honneur, au bon sens; je m'en ris, tout m'est égal. » **(81)**

Elle fut si épouvantée de ce transport[133], que, demeurant à genoux près de la chaise d'où je m'étais levé, elle me regardait en tremblant et sans oser respirer. Je fis encore quelques pas vers la porte, en tournant la tête, et tenant les yeux fixés sur elle. Mais il aurait fallu que j'eusse perdu tous sentiments d'humanité pour m'endurcir contre tant de charmes. J'étais si éloigné d'avoir cette force barbare que, passant tout d'un coup à l'extrémité opposée, je retournai vers elle, ou plutôt, je m'y précipitai sans réflexion. Je la pris entre mes bras, je lui donnai mille tendres baisers. Je lui demandai pardon de mon emportement. Je confessai que j'étais un brutal, et que je ne méritais pas le bonheur d'être aimé d'une fille comme elle. Je la fis asseoir, et, m'étant mis à genoux à mon tour, je la conjurai de m'écouter en cet état. Là, tout ce qu'un amant soumis et passionné peut imaginer de plus respectueux et de plus tendre, je le renfermai en peu de mots dans mes excuses. Je lui demandai en grâce de prononcer qu'elle me pardonnait.

---

**132.** *Commerce :* rapports, relations; **133.** *Transport :* voir note 6.

## QUESTIONS

**81.** Pourquoi, à l'instant où ils se retrouvent, des Grieux est-il déconcerté par le comportement de Manon? pourquoi Manon l'est-elle par celui de Des Grieux? Montrez que cela tient à ce que la situation n'a pas le même sens pour les deux héros. — Étudiez le ton et le contenu des reproches de Des Grieux dans cette partie de la scène. Montrez le caractère théâtral outré et conventionnel des formules qu'il emploie; montrez que cela traduit l'effort qu'il fait sur lui-même pour ne pas succomber au charme de Manon. — Manon comprend-elle ses reproches? A-t-elle conscience de ses fautes? Quel indice lui en fournit une idée? Nature du sentiment que traduisent ses larmes?

— Montrez l'analogie de la situation et du malentendu entre les personnages, ici et dans la scène semblable où des Grieux retrouve Manon chez le vieux G... M... Signification de cette répétition?

Elle laissa tomber ses bras sur mon cou, en disant que c'était elle-même qui avait besoin de ma bonté pour me faire oublier les chagrins qu'elle me causait, et qu'elle commençait à craindre avec raison que je ne goûtasse point ce qu'elle avait à me dire pour se justifier. « Moi! interrompis-je aussitôt, ah! je ne vous demande point de justification. J'approuve tout ce que vous avez fait. Ce n'est point à moi d'exiger des raisons de votre conduite; trop content, trop heureux, si ma chère Manon ne m'ôte point la tendresse de son cœur! Mais, continuai-je, en réfléchissant sur l'état de mon sort, toute-puissante Manon! vous qui faites à votre gré mes joies et mes douleurs, après vous avoir satisfait par mes humiliations et par les marques de mon repentir, ne me sera-t-il point permis de vous parler de ma tristesse et de mes peines? Apprendrai-je de vous ce qu'il faut que je devienne aujourd'hui, et si c'est sans retour que vous allez signer ma mort, en passant la nuit avec mon rival? » **(82)**

[Émue par le chagrin de Des Grieux, Manon accepte de fuir avec lui, en abandonnant le jeune G... M... Pendant cet entretien on apporte un billet de M. de T... Il suggère à des Grieux un bon tour à jouer à G... M... : manger son dîner et coucher dans son lit. Manon juge l'idée plaisante et insiste pour qu'elle soit réalisée. Quatre gardes du corps se chargent d'arrêter G... M... et de le séquestrer pour la nuit. Mais le laquais du jeune homme, témoin effrayé de l'affaire, court avertir le père de son maître. Le vieux G... M..., après quelques recherches vaines, arrive avec une escouade d'archers du guet[134] chez la maîtresse de son fils.]

J'allais me mettre au lit, lorsqu'il arriva. La porte de la chambre étant fermée, je n'entendis point frapper à celle de la rue; mais il entra suivi de deux archers, et s'étant informé

---

**134.** Le *guet royal*, voir note 118.

**QUESTIONS**

**82.** Qu'est-ce qui provoque le revirement de Des Grieux? Montrez que ce retournement de situation, habituel dans les scènes de dépit amoureux, n'a ici aucune valeur comique; montrez, en effet, qu'il est l'expression de la fatalité que sa passion pour Manon fait peser sur lui; soulignez l'analogie de cette partie de la scène avec la scène du parloir de Saint-Sulpice. Signification de cette ressemblance? — Pourquoi la réconciliation des deux héros est-elle lourde de menaces? En effet, cette scène a-t-elle fait évoluer Manon et l'a-t-elle éclairée sur ses propres actions? — Étudiez le langage de la passion ici; n'y a-t-il pas un passage particulièrement lyrique?

inutilement de ce qu'était devenu son fils, il lui prit envie de voir sa maîtresse, pour tirer d'elle quelque lumière. Il monte à l'appartement, toujours accompagné de ses archers. Nous étions prêts à nous mettre au lit. Il ouvre la porte, et il nous glace le sang par sa vue. « Ô Dieu! c'est le vieux G... M..., dis-je à Manon. » Je saute sur mon épée; elle était malheureusement embarrassée dans mon ceinturon. Les archers, qui virent mon mouvement, s'approchèrent aussitôt pour me la saisir. Un homme en chemise est sans résistance. Ils m'ôtèrent tous les moyens de me défendre. **(83)**

G... M..., quoique troublé par ce spectacle, ne tarda point à me reconnaître. Il remit[135] encore plus aisément Manon. « Est-ce une illusion? nous dit-il gravement; ne vois-je point le chevalier des Grieux et Manon Lescaut? » J'étais si enragé de honte et de douleur, que je ne lui fis pas de réponse. Il parut rouler, pendant quelque temps, diverses pensées dans sa tête, et comme si elles eussent allumé tout d'un coup sa colère, il s'écria en s'adressant à moi : « Ah! malheureux, je suis sûr que tu as tué mon fils! » Cette injure me piqua vivement. « Vieux scélérat, lui répondis-je avec fierté, si j'avais eu à tuer quelqu'un de ta famille, c'est par toi que j'aurais commencé. — Tenez-le bien, dit-il aux archers. Il faut qu'il me dise des nouvelles de mon fils; je le ferai pendre demain, s'il ne m'apprend tout à l'heure ce qu'il en a fait. — Tu me feras pendre? repris-je. Infâme! ce sont tes pareils qu'il faut chercher au gibet. Apprends que je suis d'un sang plus noble et plus pur que le tien. Oui, ajoutai-je, je sais ce qui est arrivé à ton fils, et si tu m'irrites davantage, je le ferai étrangler avant qu'il soit demain, et je te promets le même sort après lui. »

Je commis une imprudence en lui confessant que je savais où était son fils; mais l'excès de ma colère me fit faire cette indiscrétion. Il appela aussitôt cinq ou six autres archers, qui l'attendaient à la porte, et il leur ordonna de s'assurer de tous les domestiques de la maison. « Ah! monsieur le Chevalier, reprit-il d'un ton railleur, vous savez où est mon fils et vous le ferez étrangler, dites-vous? Comptez que nous y mettrons

---

**135.** *Remettre*, voir note 37.

**QUESTIONS**

**83.** Étudiez comment le jeu des temps souligne l'impression de surprise. — Quels sont les détails qui donnent un caractère vaudevillesque à cette scène?

bon ordre. » Je sentis aussitôt la faute que j'avais commise. Il s'approcha de Manon, qui était assise sur le lit en pleurant; il lui dit quelques galanteries ironiques sur l'empire qu'elle avait sur le père et sur le fils, et sur le bon usage qu'elle en faisait. Il sortit en laissant trois archers dans la chambre, auxquels il ordonna de nous faire prendre promptement nos habits.

Je ne sais quels étaient alors ses desseins sur nous. Peut-être eussions-nous obtenu la liberté en lui apprenant où était son fils. Je méditais, en m'habillant, si ce n'était pas le meilleur parti. Mais, s'il était dans cette disposition en quittant notre chambre, elle était bien changée lorsqu'il y revint. Il était allé interroger les domestiques de Manon, que les archers avaient arrêtés. **(84)**

[G... M... obtient sans peine du valet Marcel, terrorisé par le tour que prend la situation, des précisions sur le sort de son fils et sur les intentions de Manon et des Grieux à son égard.]

Après cette découverte, le vieillard emporté remonta brusquement dans notre chambre. Il passa, sans parler, dans le cabinet, où il n'eut pas de peine à trouver la somme et les bijoux. Il revint à nous avec un visage enflammé, et, nous montrant ce qu'il lui plut de nommer notre larcin, il nous accabla de reproches outrageants. Il fit voir de près, à Manon, le collier de perles et les bracelets. « Les reconnaissez-vous? lui dit-il avec un souris moqueur. Ce n'était pas la première fois que vous les eussiez vus. Les mêmes, sur ma foi. Ils étaient de votre goût, ma belle; je me le persuade aisément. Les pauvres enfants! ajouta-t-il. Ils sont bien aimables, en effet, l'un et l'autre; mais ils sont un peu fripons. » Mon cœur crevait de rage à ce discours insultant. J'aurais donné, pour être libre un moment... Juste Ciel! que n'aurais-je pas donné! Enfin,

**QUESTIONS**

**84.** En quoi consiste la maladresse de Des Grieux au cours de cette scène? Soulignez la violence de ses propos, leur ton méprisant (tutoiement, rappel hautain de l'infériorité sociale de G... M...). Quelles sont les causes de cet éclat? Comment des Grieux aurait-il pu calmer la colère de G... M...? — Montrez que les propos et le comportement de G... M... sont conformes à ce que nous connaissons de lui; soulignez leur brutalité, leur cruauté, leur vulgarité. — Quelle nécessité y avait-il à noircir ainsi le personnage? — Manon ne dit mot au cours de cette scène; essayez d'imaginer les sentiments qui l'agitent.

je me fis violence pour lui dire, avec une modération qui n'était qu'un raffinement de fureur : « Finissons, monsieur, ces insolentes railleries. De quoi est-il question? Voyons, que prétendez-vous faire de nous? — Il est question, monsieur le Chevalier, me répondit-il, d'aller de ce pas au Châtelet. Il fera jour demain; nous verrons plus clair dans nos affaires, et j'espère que vous me ferez la grâce, à la fin, de m'apprendre où est mon fils. »

Je compris, sans beaucoup de réflexions, que c'était une chose d'une terrible conséquence pour nous d'être une fois renfermés au Châtelet[136]. J'en prévis, en tremblant, tous les dangers. Malgré toute ma fierté, je reconnus qu'il fallait plier sous le poids de ma fortune[137] et flatter mon plus cruel ennemi, pour en obtenir quelque chose par la soumission. Je le priai, d'un ton honnête[138], de m'écouter un moment. « Je me rends justice, monsieur, lui dis-je. Je confesse que la jeunesse m'a fait commettre de grandes fautes, et que vous en êtes assez blessé pour vous plaindre. Mais, si vous connaissez la force de l'amour, si vous pouvez juger de ce que souffre un malheureux jeune homme à qui l'on enlève tout ce qu'il aime, vous me trouverez peut-être pardonnable d'avoir cherché le plaisir d'une petite vengeance, ou du moins, vous me croirez assez puni par l'affront que je viens de recevoir. Il n'est besoin ni de prison ni de supplice pour me forcer de vous découvrir où est Monsieur votre fils. Il est en sûreté. Mon dessein n'a pas été de lui nuire ni de vous offenser. Je suis prêt à vous nommer le lieu où il passe tranquillement la nuit, si vous me faites la grâce de nous accorder la liberté. » Ce vieux tigre, loin d'être touché de ma prière, me tourna le dos en riant. Il lâcha seulement quelques mots, pour me faire comprendre qu'il savait notre dessein jusqu'à l'origine. Pour ce qui regardait son fils, il ajouta brutalement qu'il se retrouverait assez, puisque je ne l'avais pas assassiné. « Conduisez-les au Petit-Châtelet, dit-il aux archers, et prenez garde que le Chevalier ne vous échappe. C'est un rusé, qui s'est déjà sauvé de Saint-Lazare. » **(85)**

---

**136.** C'est au Petit-Châtelet que sont conduits les deux complices. Cette ancienne forteresse servait à la détention des prisonniers pour dettes et comme Dépôt. Elle se trouvait sur la rive gauche, en face de l'actuelle place du Châtelet; **137.** *Fortune :* voir note 42; **138.** *Honnête :* voir note 86.

**QUESTIONS**

Question 85, v. p. 109.

Il sortit, et me laissa dans l'état que vous pouvez vous imaginer. « Ô Ciel! m'écriai-je, je recevrai avec soumission tous les coups qui viennent de ta main, mais qu'un malheureux coquin ait le pouvoir de me traiter avec cette tyrannie, c'est ce qui me réduit au dernier désespoir. » Les archers nous prièrent de ne pas les faire attendre plus longtemps. Ils avaient un carrosse à la porte. Je tendis la main à Manon pour descendre. « Venez, ma chère reine, lui dis-je, venez vous soumettre à toute la rigueur de notre sort. Il plaira peut-être au Ciel de nous rendre quelque jour plus heureux. » **(86)**

[Les deux amants sont emprisonnés séparément au Châtelet. La réclusion de Des Grieux n'est pas très dure, car son cas n'est pas grave et, de plus, on lui donne l'assurance que Manon également est traitée avec certains égards. Le père du chevalier, ayant reçu une lettre où celui-ci, pour obtenir un secours de sa part, faisait état de son retour à une conduite réglée, vient à Paris s'en assurer; mais il apprend alors que son fils est au Châtelet. Entre-temps celui-ci a subi l'interrogatoire du lieutenant général de police, qu'il a tenté d'apitoyer sur son sort et celui de Manon et qui l'a désappointé en se montrant très réservé sur ce qu'il adviendrait de sa maîtresse.]

J'étais à m'entretenir tristement de mes idées, et à réfléchir sur la conversation que j'avais eue avec M. le Lieutenant général de Police, lorsque j'entendis ouvrir la porte de ma chambre : c'était mon père. Quoique je dusse être à demi préparé à cette vue, puisque je m'y attendais quelques jours plus tard, je ne laissai pas d'en être frappé si vivement que

**QUESTIONS**

**85.** Pourquoi des Grieux se résigne-t-il à solliciter le pardon de M. de G... M...? Montrez la politesse du ton qu'il emploie. Quelle transformation fait-il subir à la réalité pour mieux apitoyer le vieillard? A-t-il conscience de sa duplicité? — Quel est l'intérêt de ce passage? Montrez qu'il achève de déconsidérer M. de G... M... par l'indifférence cruelle dont il fait preuve et qu'ainsi Manon et des Grieux font désormais figure de victimes.

**86.** Soulignez la légèreté avec laquelle des Grieux oublie ses propres torts pour ne plus voir en lui que la victime d'un sort injuste. — Analysez la grandeur tragique du ton de ses paroles à l'adresse de Manon. Pourquoi ne résulte-t-il aucun effet comique du contraste entre la dignité de ces paroles et l'infamie de la situation? Montrez que s'y exprime la vérité profonde du roman, à savoir que la dignité aristocratique de Des Grieux et la qualité de la passion des deux jeunes gens rendent sympathique l'immoralité de leur conduite.

je me serais précipité au fond de la terre, si elle s'était entr'ouverte à mes pieds. J'allai l'embrasser, avec toutes les marques d'une extrême confusion. Il s'assit sans que ni lui ni moi eussions encore ouvert la bouche. **(87)**

Comme je demeurais debout, les yeux baissés et la tête découverte : « Asseyez-vous, monsieur, me dit-il gravement, asseyez-vous. Grâce au scandale de votre libertinage et de vos friponneries, j'ai découvert le lieu de votre demeure. C'est l'avantage d'un mérite tel que le vôtre de ne pouvoir demeurer caché. Vous allez à la renommée par un chemin infaillible. J'espère que le terme en sera bientôt la Grève[139], et que vous aurez, effectivement, la gloire d'y être exposé à l'admiration[140] de tout le monde. **(88)**

Je ne répondis rien. Il continua : « Qu'un père est malheureux, lorsque, après avoir aimé tendrement un fils et n'avoir rien épargné pour en faire un honnête homme, il n'y trouve, à la fin, qu'un fripon qui le déshonore! On se console d'un malheur de fortune : le temps l'efface, et le chagrin diminue; mais quel remède contre un mal qui augmente tous les jours, tel que les désordres d'un fils vicieux qui a perdu tous sentiments d'honneur? Tu ne dis rien, malheureux, ajouta-t-il; voyez cette modestie contrefaite et cet air de douceur hypocrite; ne le prendrait-on pas pour le plus honnête homme de sa race? » **(89)**

Quoique je fusse obligé de reconnaître que je méritais une partie de ces outrages, il me parut néanmoins que c'était les porter à l'excès. Je crus qu'il m'était permis d'expliquer naturellement[141] ma pensée. « Je vous assure, monsieur, lui dis-je, que la modestie où vous me voyez devant vous n'est nullement affectée; c'est la situation naturelle d'un fils bien né, qui

---

**139.** La place de Grève (actuellement place de l'Hôtel-de-Ville), où les condamnés étaient publiquement exécutés; **140.** *Admiration :* ici, « étonnement »; **141.** *Naturellement :* franchement, sans détours; voir note 27.

## QUESTIONS

**87.** Quels sentiments éprouve des Grieux à la vue de son père? Trouvez une signification à son mutisme et à celui de son père.

**88.** Le ton ironique de ce début convient-il aux circonstances? Le père de Des Grieux ne vous semble-t-il pas manquer d'habileté, de tact et de sens psychologique? Comparez son attitude ici avec celle qu'on lui a déjà vue et montrez la similitude de ses deux comportements.

**89.** Précisez le ton de ce passage. Montrez son caractère oratoire (style périodique, jeu des antithèses, vocabulaire frappant).

Phot. B. N.

« Vivre en Europe, vivre en Amérique, que m'importait-il... » (p. 122).

Illustration de P. E. Becat.

respecte infiniment son père, et surtout un père irrité. Je ne prétends pas non plus passer pour l'homme le plus réglé de notre race. Je me connais digne de vos reproches, mais je vous conjure d'y mettre un peu plus de bonté et de ne pas me traiter comme le plus infâme de tous les hommes. Je ne mérite pas des noms si durs. C'est l'amour, vous le savez, qui a causé toutes mes fautes. Fatale passion! Hélas! n'en connaissez-vous pas la force, et se peut-il que votre sang, qui est la source du mien, n'ait jamais ressenti les mêmes ardeurs? L'amour m'a rendu trop tendre, trop passionné, trop fidèle et, peut-être, trop complaisant pour les désirs d'une maîtresse toute charmante; voilà mes crimes. En voyez-vous là quelqu'un qui vous déshonore? Allons, mon cher père, ajoutai-je tendrement, un peu de pitié pour un fils qui a toujours été plein de respect et d'affection pour vous, qui n'a pas renoncé, comme vous pensez, à l'honneur et au devoir, et qui est mille fois plus à plaindre que vous ne sauriez vous l'imaginer. » Je laissai tomber quelques larmes en finissant ces paroles.

Un cœur de père est le chef-d'œuvre de la nature; elle y règne, pour ainsi parler, avec complaisance, et elle en règle elle-même tous les ressorts. Le mien, qui était avec cela homme d'esprit et de goût, fut si touché du tour que j'avais donné à mes excuses qu'il ne fut pas le maître de me cacher ce changement. « Viens, mon pauvre chevalier, me dit-il, viens m'embrasser; tu me fais pitié. » Je l'embrassai; il me serra d'une manière qui me fit juger de ce qui se passait dans son cœur. « Mais quel moyen prendrons-nous donc, reprit-il, pour te tirer d'ici? Explique-moi toutes tes affaires sans déguisement. » **(90)** Comme il n'y avait rien, après tout, dans le gros de ma conduite, qui pût me déshonorer absolument, du moins en la mesurant sur celle des jeunes gens d'un certain monde, et qu'une maîtresse ne passe point pour une infamie dans le

## QUESTIONS

**90.** Le plaidoyer de Des Grieux :
— dégagez dans ce discours les artifices qui ont pour effet d'émouvoir et d'attendrir son père (attitude repentante, humbles appels à la pitié, larmes);
— sur quel argument repose la défense du chevalier? Montrez que la nature de cet argument lui permet, d'une part, d'atténuer sa culpabilité (pureté du mobile, engrenage fatal de la passion), d'autre part de susciter encore mieux la compassion de son père en lui permettant de l'inviter, sans le choquer, à se mettre à sa place. La réaction du père est-elle naturelle? à quels sentiments cède-t-il en définitive?

siècle où nous sommes, non plus qu'un peu d'adresse à s'attirer la fortune du jeu, je fis sincèrement à mon père le détail de la vie que j'avais menée. A chaque faute dont je lui faisais l'aveu, j'avais soin de joindre des exemples célèbres, pour en diminuer la honte. « Je vis avec une maîtresse, lui disais-je, sans être lié par les cérémonies du mariage : M. le duc de... en entretient deux, aux yeux de tout Paris; M. de... en a une depuis dix ans, qu'il aime avec une fidélité qu'il n'a jamais eue pour sa femme; les deux tiers des honnêtes gens de France se font honneur d'en avoir. J'ai usé de quelque supercherie au jeu : M. le marquis de... et le comte de... n'ont point d'autres revenus; M. le prince de... et M. le duc de... sont les chefs d'une bande de chevaliers du même Ordre[142]. » Pour ce qui regardait mes desseins sur la bourse des deux G... M..., j'aurais pu prouver aussi facilement que je n'étais pas sans modèles; mais il me restait trop d'honneur pour ne pas me condamner moi-même, avec tous ceux dont j'aurais pu me proposer l'exemple, de sorte que je priai mon père de pardonner cette faiblesse aux deux violentes passions qui m'avaient agité, la vengeance et l'amour. Il me demanda si je pouvais lui donner quelques ouvertures sur les plus courts moyens d'obtenir ma liberté, et d'une manière qui pût lui faire éviter l'éclat[143]. Je lui appris les sentiments de bonté que le Lieutenant général de Police avait pour moi. « Si vous trouvez quelques difficultés, lui dis-je, elles ne peuvent venir que de la part des G... M...; ainsi, je crois qu'il serait à propos que vous prissiez la peine de les voir. » Il me le promit. **(91)** Je n'osai le prier de solliciter pour Manon. Ce ne fut point un défaut de hardiesse, mais un effet de la crainte où j'étais de le révolter par cette proposition, et de lui faire naître quelque dessein funeste à elle et à moi. Je suis encore à savoir si cette crainte n'a pas causé mes plus grandes infortunes en m'empêchant de tenter[144] les dispositions de mon père, et de faire des efforts pour lui en inspirer de favorables à ma malheureuse maîtresse. J'aurais peut-être excité encore une fois sa pitié. Je l'aurais mis en garde contre les impressions qu'il allait recevoir trop facilement du

---

**142.** *Ordre :* nouvel euphémisme ironique pour désigner les associations de tricheurs; voir aussi note 64; **143.** *Eclat :* scandale; **144.** *Tenter :* sonder.

**QUESTIONS**

**91.** Quelle idée essentielle au roman est développée dans le second temps de la défense de Des Grieux?

vieux G... M... Que sais-je? Ma mauvaise destinée l'aurait peut-être emporté sur tous mes efforts, mais je n'aurais eu qu'elle, du moins, et la cruauté de mes ennemis, à accuser de mon malheur. **(92)**

En me quittant, mon père alla faire une visite à M. de G... M... Il le trouva avec son fils, à qui le garde du corps avait honnêtement rendu la liberté. Je n'ai jamais su les particularités de leur conversation, mais il ne m'a été que trop facile d'en juger par ses mortels effets. Ils allèrent ensemble, je dis les deux pères, chez M. le Lieutenant général de Police, auquel ils demandèrent deux grâces : l'une, de me faire sortir sur-le-champ du Châtelet; l'autre, d'enfermer Manon pour le reste de ses jours, ou de l'envoyer en Amérique. On commençait, dans le même temps, à embarquer quantité de gens sans aveu pour le Mississippi[145]. M. le Lieutenant général de Police leur donna sa parole de faire partir Manon par le premier vaisseau. M. de G... M... et mon père vinrent aussitôt m'apporter ensemble la nouvelle de ma liberté. M. de G... M... me fit un compliment[146] civil sur le passé, et m'ayant félicité sur le bonheur que j'avais d'avoir un tel père, il m'exhorta à profiter désormais de ses leçons et de ses exemples. Mon père m'ordonna de lui faire des excuses de l'injure prétendue que j'avais faite à sa famille, et de le remercier de s'être employé avec lui pour mon élargissement. Nous sortîmes ensemble, sans avoir dit un mot de ma maîtresse. Je n'osai même parler d'elle aux guichetiers[147] en leur présence. Hélas! mes tristes recommandations eussent été bien inutiles! L'ordre cruel était venu en même temps que celui de ma délivrance. Cette fille infortunée fut conduite, une heure après, à l'Hôpital, pour y être associée à quelques malheureuses qui étaient condamnées à subir le même sort. **(93) (94)**

---

**145.** C'est-à-dire « pour la Louisiane », arrosée par le Mississippi. Sur la déportation des mauvais sujets en Amérique, voir *Documents*, p. 136; **146.** *Compliment :* voir note 59; **147.** *Guichetier :* gardien de la prison.

## QUESTIONS

**92.** Pourquoi des Grieux n'ose-t-il demander à son père d'intervenir pour Manon? Que redoute-t-il? Quel sentiment éprouve-t-il sans doute en relatant cette erreur? En quoi peut-on réellement parler ici du tragique de la situation? Montrez que des Grieux devient l'artisan aveugle de son propre malheur.

Questions 93 et 94, v. p. 115.

## [La métamorphose de Manon.]

[Des Grieux, de nouveau au comble du désespoir, décide de recourir à Tiberge, qui lui offre le secours de sa bourse; puis c'est vers M. de T... qu'il se tourne, espérant qu'il pourra l'aider à obtenir la libération de Manon. Malheureusement celui-ci pense qu'aucune intervention de sa part n'est possible et, d'ailleurs, on vient de l'informer que le départ du convoi de filles pour le port d'embarquement est prévu pour le surlendemain. Deux voies, à son avis, sont encore possibles pour des Grieux : soit fléchir son père et obtenir de lui qu'il demande la libération de Manon, puisque c'est sur sa requête qu'on la déporte; soit organiser l'attaque du convoi. Bien qu'il appréhende cette entrevue, le chevalier rencontre son père et le sollicite avec toute l'ardeur que lui inspire son chagrin. Mais il se heurte à sa dureté inexorable; une scène violente les oppose, et ils se séparent après un échange de cruelles invectives. Des Grieux finit par se décider pour l'épreuve de force. M. de T... lui apprend que les archers convoyeurs ne seront que six, et qu'il suffirait d'un petit nombre de cavaliers pour les prendre au dépourvu. Des Grieux pense tout d'abord à utiliser comme homme de main le garde du corps qui l'a aidé dans la séquestration du fils G... M...; celui-ci recrute trois de ses camarades, ce qui, avec des Grieux, porte à cinq le nombre des attaquants.]

Comme je ne manquais point d'argent, le garde du corps me conseilla de ne rien épargner pour assurer le succès de notre attaque. « Il nous faut des chevaux, me dit-il, avec des pistolets, et chacun notre mousqueton. Je me charge de prendre demain le soin de ces préparatifs. Il faudra aussi trois habits communs pour nos soldats, qui n'oseraient paraître dans une affaire de cette nature avec l'uniforme du régiment. » Je lui mis entre les mains les cent pistoles que j'avais reçues de M. de T... Elles furent employées, le lendemain, jusqu'au

**QUESTIONS**

**93.** Comment peut-on expliquer que M. de G... M... ne soit pas également sévère pour des Grieux et pour Manon, qui pourtant se sont montrés aussi coupables à son égard? Montrez qu'en effet la rigueur du châtiment qu'il réserve à Manon est une réaction d'homme en place contre l'individu qui trouble l'ordre social, et répond plus au besoin de se protéger qu'au désir de voir expier; dans quelle mesure cela explique-t-il son indulgence pour des Grieux et la solidarité des deux pères contre Manon?

**94.** Sur l'ensemble de l'épisode « Nouvel emprisonnement ». — Montrez que cet épisode présente, conjugués et amplifiés, différents thèmes rencontrés au cours des épisodes précédents. — Relevez et classez ces analogies. — Quelle est la signification de cette répétition des situations dans lesquelles sont impliqués Manon et des Grieux?

dernier sol. Les trois soldats passèrent en revue devant moi. Je les animai par de grandes promesses, et pour leur ôter toute défiance, je commençai par leur faire présent, à chacun, de dix pistoles. Le jour de l'exécution étant venu, j'en envoyai un de grand matin à l'Hôpital, pour s'instruire, par ses propres yeux, du moment auquel les archers partiraient avec leur proie. Quoique je n'eusse pris cette précaution que par un excès d'inquiétude et de prévoyance, il se trouva qu'elle avait été absolument nécessaire. J'avais compté sur quelques fausses informations qu'on m'avait données de leur route, et, m'étant persuadé que c'était à La Rochelle que cette déplorable[148] troupe devait être embarquée, j'aurais perdu mes peines à l'attendre sur le chemin d'Orléans[149]. Cependant, je fus informé, par le rapport du soldat aux gardes, qu'elle prenait le chemin de Normandie, et que c'était du Havre-de-Grâce qu'elle devait partir pour l'Amérique.

Nous nous rendîmes aussitôt à la Porte Saint-Honoré, observant de marcher par des rues différentes. Nous nous réunîmes au bout du faubourg. Nos chevaux étaient frais. Nous ne tardâmes point à découvrir les six gardes et les deux misérables voitures que vous vîtes à Pacy, il y a deux ans. Ce spectacle faillit de m'ôter la force et la connaissance. « Ô fortune[150], m'écriai-je, fortune cruelle! accorde-moi ici, du moins, la mort ou la victoire. » Nous tînmes conseil un moment sur la manière dont nous ferions notre attaque. Les archers n'étaient guère plus de quatre cents pas devant nous, et nous pouvions les couper en passant au travers d'un petit champ, autour duquel le grand chemin tournait. Le garde du corps fut d'avis de prendre cette voie, pour les surprendre en fondant tout d'un coup sur eux. J'approuvai sa pensée et je fus le premier à piquer mon cheval. Mais la fortune avait rejeté impitoyablement mes vœux. Les archers, voyant cinq cavaliers accourir vers eux, ne doutèrent point que ce ne fût pour les attaquer. Ils se mirent en défense, en préparant leurs baïonnettes et leurs fusils d'un air assez résolu. Cette vue, qui ne fit que nous animer, le garde du corps et moi, ôta tout d'un coup le courage à nos trois lâches compagnons. Ils s'arrêtèrent comme de concert, et, s'étant dit entre eux quelques mots que je n'en-

---

**148.** *Déplorable :* digne de compassion; **149.** C'était habituellement à La Rochelle qu'on embarquait pour l'Amérique. Cependant il arriva que, pour éviter une trop longue route, on fit embarquer au Havre à destination de La Rochelle, où les passagers changeaient de bateau; **150.** *Fortune :* sort.

tendis point, ils tournèrent la tête de leurs chevaux, pour reprendre le chemin de Paris à bride abattue. **(95)** « Dieux! me dit le garde du corps, qui paraissait aussi éperdu que moi de cette infâme désertion, qu'allons-nous faire? Nous ne sommes que deux. » J'avais perdu la voix, de fureur et d'étonnement. Je m'arrêtai, incertain si ma première vengeance ne devait pas s'employer à la poursuite et au châtiment des lâches qui m'abandonnaient. Je les regardais fuir et je jetais les yeux, de l'autre côté, sur les archers. S'il m'eût été possible de me partager, j'aurais fondu tout à la fois sur ces deux objets de ma rage; je les dévorais tous ensemble. Le garde du corps, qui jugeait de mon incertitude par le mouvement égaré de mes yeux, me pria d'écouter son conseil. « N'étant que deux, me dit-il, il y aurait de la folie à attaquer six hommes aussi bien armés que nous et qui paraissent nous attendre de pied ferme. Il faut retourner à Paris et tâcher de réussir mieux dans le choix de nos braves[151]. Les archers ne sauraient faire de grandes journées avec deux pesantes voitures; nous les rejoindrons demain sans peine. » **(96)**

Je fis un moment de réflexion sur ce parti, mais, ne voyant de tous côtés que des sujets de désespoir, je pris une résolution véritablement désespérée. Ce fut de remercier mon compagnon de ses services, et, loin d'attaquer les archers, je résolus d'aller, avec soumission, les prier de me recevoir dans leur troupe pour accompagner Manon avec eux jusqu'au Havre-de-Grâce

---

**151.** *Brave* : mercenaire.

## QUESTIONS

**95.** Montrez que la composition du passage est dictée par le souci de donner un caractère inattendu, injuste et, par conséquent, pathétique à la défection des soldats.

— Remarquez comment Prévost souligne la minutie des préparatifs : longueur relative du passage qui leur est consacré, notations sur l'ampleur des dépenses, précisions sur l'itinéraire, luxe des précautions prises.

— Montrez comment le pathétique du récit est accentué par un certain ton de l'évocation douloureuse qui se mêle à celui de la narration objective; relevez en particulier les adjectifs d'ordre passionnel.

— Ici, des Grieux n'est victime ni de sa faiblesse ni d'un caprice du sort, mais de la lâcheté des hommes. En quoi est-ce particulièrement émouvant pour le lecteur?

Comment Prévost rend-il le caractère subit de la désertion?

**96.** Les réactions de Des Grieux et du garde du corps : opposez le désarroi et la rage du chevalier au sang-froid et à la présence d'esprit de son acolyte. Comment l'une et l'autre attitude s'expliquent-elles?

Phot. B. N.

« Je passai la nuit entière à veiller près d'elle... » (p. 130).

Illustration de Tony Johannot.

et passer ensuite au delà des mers avec elle. « Tout le monde me persécute ou me trahit, dis-je au garde du corps. Je n'ai plus de fond à faire sur personne. Je n'attends plus rien, ni de la fortune[152], ni du secours des hommes. Mes malheurs sont au comble; il ne me reste plus que de m'y soumettre. Ainsi, je ferme les yeux à toute espérance. Puisse le Ciel récompenser votre générosité! Adieu, je vais aider mon mauvais sort à consommer ma ruine, en y courant moi-même volontairement. » Il fit inutilement ses efforts pour m'engager à retourner à Paris. Je le priai de me laisser suivre mes résolutions et de me quitter sur-le-champ, de peur que les archers ne continuassent de croire que notre dessein était de les attaquer. **(97)**

J'allai seul vers eux, d'un pas lent et le visage si consterné qu'ils ne durent rien trouver d'effrayant dans mes approches. Ils se tenaient néanmoins en défense. « Rassurez-vous, messieurs, leur dis-je, en les abordant; je ne vous apporte point la guerre, je viens vous demander des grâces. » Je les priai de continuer leur chemin sans défiance et je leur appris, en marchant, les faveurs que j'attendais d'eux. Ils consultèrent ensemble de quelle manière ils devaient recevoir cette ouverture. Le chef de la bande prit la parole pour les autres. Il me répondit que les ordres qu'ils avaient de veiller sur leurs captives étaient d'une extrême rigueur; que je lui paraissais néanmoins si joli[153] homme que lui et ses compagnons se relâcheraient un peu de leur devoir; mais que je devais comprendre qu'il fallait qu'il m'en coûtât quelque chose. Il me restait environ quinze pistoles; je leur dis naturellement[154] en quoi consistait le fond de ma bourse. « Hé bien! me dit l'archer, nous en userons généreusement. Il ne vous coûtera qu'un écu par heure pour entretenir celle de nos filles qui vous plaira le plus; c'est le prix courant de Paris. Je ne leur avais pas parlé de Manon en particulier, parce que je n'avais pas dessein qu'ils connussent ma passion. Ils s'imaginèrent d'abord que ce

---

**152.** *Fortune :* voir note 150; **153.** *Joli :* aimable; **154.** *Naturellement :* voir note 27.

## QUESTIONS

**97.** La décision de Des Grieux : montrez qu'elle est tout à fait conforme à son caractère (impatience, peur de l'échec, répugnance à l'effort, fatalisme) et au sens tragique que le roman donne au destin de ce personnage. Comparez son attitude avec celle d'Oreste dans *Andromaque* (I, I, v. 98) : « Je me livre en aveugle au destin qui m'entraîne. »

n'était qu'une fantaisie de jeune homme qui me faisait chercher un peu de passe-temps avec ces créatures; mais lorsqu'ils crurent s'être aperçus que j'étais amoureux, ils augmentèrent tellement le tribut, que ma bourse se trouva épuisée en partant de Mantes, où nous avions couché, le jour que nous arrivâmes à Pacy. **(98)**

Vous dirai-je quel fut le déplorable sujet de mes entretiens avec Manon pendant cette route, ou quelle impression sa vue fit sur moi lorsque j'eus obtenu des gardes la liberté d'approcher de son chariot? Ah! les expressions ne rendent jamais qu'à demi les sentiments du cœur. Mais figurez-vous ma pauvre maîtresse enchaînée[155] par le milieu du corps, assise sur quelques poignées de paille, la tête appuyée languissamment sur un côté de la voiture, le visage pâle et mouillé d'un ruisseau de larmes qui se faisaient un passage au travers de ses paupières, quoiqu'elle eût continuellement les yeux fermés. Elle n'avait pas même eu la curiosité de les ouvrir lorsqu'elle avait entendu le bruit de ses gardes, qui craignaient d'être attaqués. Son linge était sale et dérangé, ses mains délicates exposées à l'injure de l'air; enfin, tout ce composé charmant, cette figure capable de ramener l'univers à l'idolâtrie, paraissait dans un désordre et un abattement inexprimables. **(99)** J'employai quelque temps à la considérer, en allant à cheval à côté du chariot. J'étais si

---

**155.** Les déportés étaient ordinairement enchaînés par deux, au moyen d'une chaîne légère fermée la veille du départ.

## QUESTIONS

**98.** Malgré leur acceptation, qu'y a-t-il de cruel dans l'attitude des archers? Est-ce par générosité ou par compassion qu'ils cèdent aux instances de Des Grieux? D'autre part, et à en juger par le ton et les formules qu'ils emploient, à quel niveau rabaissent-ils la passion exceptionnelle de Des Grieux pour Manon? Quel personnage, dans le début, avait déçu et choqué des Grieux par une attitude analogue? — La violence de cette passion, lorsqu'ils la découvrent, modifie-t-elle leur attitude intéressée? L'image du peuple que Prévost donne ainsi? Cherchez d'autres passages du roman où cette conception s'était déjà manifestée.

**99.** Le portrait de Manon : montrez que le pathétique de ce portrait tient d'une part à la peinture de l'abattement de Manon (relevez les détails significatifs à cet égard);

— d'autre part à l'impression d'injustice cruelle qui naît du contraste entre sa beauté et l'aspect sordide de sa mise. En quoi la construction de certaines phrases a-t-elle pour effet de souligner ce contraste? Montrez, en étudiant le vocabulaire du passage, le caractère affectif de l'évocation de la beauté de Manon et, par opposition, le réalisme et la précision des détails qui suggèrent l'horreur de sa situation.

peu à moi-même que je fus sur le point, plusieurs fois, de tomber dangereusement. Mes soupirs et mes exclamations fréquentes m'attirèrent d'elle quelques regards. Elle me reconnut, et je remarquai que, dans le premier mouvement, elle tenta de se précipiter hors de la voiture pour venir à moi; mais, étant retenue par sa chaîne, elle retomba dans sa première attitude. Je priai les archers d'arrêter un moment par compassion; ils y consentirent par avarice[156]. Je quittai mon cheval pour m'asseoir auprès d'elle. Elle était si languissante et si affaiblie qu'elle fut longtemps sans pouvoir se servir de sa langue ni remuer ses mains. Je les mouillais pendant ce temps-là de mes pleurs, et, ne pouvant proférer moi-même une seule parole, nous étions l'un et l'autre dans une des plus tristes situations dont il y ait jamais eu d'exemple. Nos expressions ne le furent pas moins, lorsque nous eûmes retrouvé la liberté de parler. Manon parla peu. Il semblait que la honte et la douleur eussent altéré les organes de sa voix; le son en était faible et tremblant. Elle me remercia de ne l'avoir pas oubliée, et de la satisfaction que je lui accordais, dit-elle en soupirant, de me voir du moins encore une fois et de me dire le dernier adieu. Mais, lorsque je l'eus assurée que rien n'était capable de me séparer d'elle et que j'étais disposé à la suivre jusqu'à l'extrémité du monde pour prendre soin d'elle, pour la servir, pour l'aimer et pour attacher inséparablement ma misérable destinée à la sienne, cette pauvre fille se livra à des sentiments si tendres et si douloureux, que j'appréhendai quelque chose pour sa vie d'une si violente émotion. Tous les mouvements de son âme semblaient se réunir dans ses yeux. Elle les tenait fixés sur moi. Quelquefois elle ouvrait la bouche, sans avoir la force d'achever quelques mots qu'elle commençait. Il lui en échappait néanmoins quelques-uns. C'étaient des marques d'admiration[157] sur mon amour, de tendres plaintes de son excès, des doutes qu'elle pût être assez heureuse pour m'avoir inspiré une passion si parfaite, des instances pour me faire renoncer au dessein de la suivre et chercher ailleurs un bonheur digne de moi, qu'elle me disait que je ne pouvais espérer avec elle. **(100)**

---

**156.** *Avarice :* cupidité; **157.** *Admiration :* voir note 140.

**QUESTIONS**

**100.** Analysez les différentes sources du pathétique dans ce passage. Signification du silence de Manon?

En dépit du plus cruel de tous les sorts, je trouvais ma félicité dans ses regards et dans la certitude que j'avais de son affection. J'avais perdu, à la vérité, tout ce que le reste des hommes estime; mais j'étais maître du cœur de Manon, le seul bien que j'estimais. Vivre en Europe, vivre en Amérique, que m'importait-il en quel endroit vivre, si j'étais sûr d'y être heureux en y vivant avec ma maîtresse? Tout l'univers n'est-il pas la patrie de deux amants fidèles? Ne trouvent-ils pas l'un dans l'autre, père, mère, parents, amis, richesses et félicité? **(101)**

[La bourse du chevalier s'épuise vite et les archers deviennent de plus en plus exigeants; l'aide apportée par l'homme de qualité à l'étape est d'un précieux secours à des Grieux. Arrivé au Havre, il obtient sans peine d'être embarqué avec les filles, car on cherchait alors des jeunes gens pour peupler la colonie. L'air de noblesse des deux amants, la violence de leur passion leur valent un traitement de faveur de la part du capitaine qui, d'ailleurs, les croit mariés. L'attitude de Manon au cours de la traversée confirme la transformation qui semblait s'être opérée en elle, et c'est animés d'un immense espoir qu'ils abordent tous deux au rivage désiré.]

Après une navigation de deux mois, nous abordâmes enfin au rivage désiré. Le pays ne nous offrit rien d'agréable à la première vue. C'étaient des campagnes stériles et inhabitées, où l'on voyait à peine quelques roseaux et quelques arbres dépouillés par le vent. Nulle trace d'hommes ni d'animaux. Cependant, le capitaine ayant fait tirer quelques pièces de notre artillerie, nous ne fûmes pas longtemps sans apercevoir une troupe de citoyens du Nouvel Orléans[158], qui s'approchèrent de nous avec de vives marques de joie. Nous n'avions pas découvert la ville. Elle est cachée, de ce côté-là, par une petite colline. Nous fûmes reçus comme des gens descendus du Ciel. Ces pauvres habitants s'empressaient pour nous faire mille questions sur l'état de la France et sur les différentes provinces où ils étaient nés. Ils nous embrassaient comme leurs frères et comme de chers compagnons qui venaient partager leur

**158.** Le nom de l'actuelle « Nouvelle-Orléans » se rencontrait parfois sous forme masculine.

QUESTIONS

**101.** Comment s'explique le sentiment de bonheur qui envahit des Grieux? Un fait nouveau justifie-t-il ses espoirs? — Précisez la conception de l'amour qu'il exprime dans ce passage; de quelle fable de La Fontaine trouve-t-on peut-être un écho dans les dernières lignes?

misère et leur solitude. Nous prîmes le chemin de la ville avec eux, mais nous fûmes surpris de découvrir, en avançant, que, ce qu'on nous avait vanté jusqu'alors comme une bonne ville, n'était qu'un assemblage de quelques pauvres cabanes. Elles étaient habitées par cinq ou six cents personnes. La maison du Gouverneur nous parut un peu distinguée par sa hauteur et par sa situation. Elle est défendue par quelques ouvrages de terre, autour desquels règne un large fossé. **(102)**

Nous fûmes d'abord présentés à lui. Il s'entretint longtemps en secret avec le capitaine, et, revenant ensuite à nous, il considéra, l'une après l'autre, toutes les filles qui étaient arrivées par le vaisseau. Elles étaient au nombre de trente, car nous en avions trouvé au Havre une autre bande, qui s'était jointe à la nôtre. Le Gouverneur, les ayant longtemps examinées, fit appeler divers jeunes gens de la ville qui languissaient dans l'attente d'une épouse. Il donna les plus jolies aux principaux et le reste fut tiré au sort[159]. Il n'avait point encore parlé à Manon, mais, lorsqu'il eut ordonné aux autres de se retirer, il nous fit demeurer, elle et moi. « J'apprends du capitaine, nous dit-il, que vous êtes mariés et qu'il vous a reconnus sur la route pour deux personnes d'esprit et de mérite. Je n'entre point dans les raisons qui ont causé votre malheur, mais, s'il est vrai que vous ayez autant de savoir-vivre que votre figure me le promet, je n'épargnerai rien pour adoucir votre sort, et vous contribuerez vous-mêmes à me faire trouver quelque agrément dans ce lieu sauvage et désert. » Je lui répondis de la manière que je crus la plus propre à confirmer l'idée qu'il avait de nous. Il donna quelques ordres pour nous faire préparer un logement dans la ville, et il nous retint à souper avec lui. Je lui trouvai beaucoup de politesse[160], pour un chef de

---

**159.** Ce mode d'attribution ne fut en réalité pratiqué que de manière exceptionnelle; mais il semble avoir vivement frappé Prévost; **160.** *Politesse :* distinction.

**QUESTIONS**

**102.** Montrez que tous les éléments retenus pour évoquer le premier contact avec l'Amérique soulignent la déception des deux amants :
— le paysage : montrez que tout s'oppose à l'idée qu'on se fait d'une terre promise; relevez les détails qui donnent à la nature un caractère hostile. Remarquez la densité et la pureté de la phrase qui en constitue la description; les héros peuvent-ils être sensibles à cette beauté sévère?
— Pourquoi l'attitude chaleureuse des habitants, loin de constituer un réconfort, aggrave-t-elle leur inquiétude? — Quel élément peu rassurant contient la description de la maison du gouverneur?

malheureux bannis. Il ne nous fit point de questions, en public, sur le fond de nos aventures. La conversation fut générale, et, malgré notre tristesse, nous nous efforçâmes, Manon et moi, de contribuer à la rendre agréable. **(103)**

Le soir, il nous fit conduire au logement qu'on nous avait préparé. Nous trouvâmes une misérable cabane, composée de planches et de boue, qui consistait en deux ou trois chambres de plain-pied, avec un grenier au-dessus. Il y avait fait mettre cinq ou six chaises et quelques commodités nécessaires à la vie. Manon parut effrayée à la vue d'une si triste demeure. C'était pour moi qu'elle s'affligeait, beaucoup plus que pour elle-même. Elle s'assit, lorsque nous fûmes seuls, et elle se mit à pleurer amèrement. J'entrepris d'abord de la consoler, mais lorsqu'elle m'eut fait entendre que c'était moi seul qu'elle plaignait, et qu'elle ne considérait, dans nos malheurs communs, que ce que j'avais à souffrir, j'affectai de montrer assez de courage, et même assez de joie pour lui en inspirer. « De quoi me plaindrai-je? lui dis-je. Je possède tout ce que je désire. Vous m'aimez, n'est-ce pas? Quel autre bonheur me suis-je jamais proposé? Laissons au Ciel le soin de notre fortune[161]. Je ne la trouve pas si désespérée. Le Gouverneur est un homme civil; il nous a marqué de la considération; il ne permettra pas que nous manquions du nécessaire. Pour ce qui regarde la pauvreté de notre cabane et la grossièreté de nos meubles, vous avez pu remarquer qu'il y a peu de personnes ici qui paraissent mieux logées et mieux meublées que nous. Et puis, tu es une chimiste admirable, ajoutai-je en l'embrassant, tu transformes tout en or.

— Vous serez donc la plus riche personne de l'univers, me répondit-elle, car, s'il n'y eut jamais d'amour tel que le vôtre, il est impossible aussi d'être aimé plus tendrement que vous l'êtes. Je me rends justice, continua-t-elle. Je sens bien que je n'ai jamais mérité ce prodigieux attachement que vous avez pour moi. Je vous ai causé des chagrins, que vous n'avez pu me pardonner sans une bonté extrême. J'ai été légère et volage, et même en vous aimant éperdument, comme j'ai tou-

---

**161.** *Fortune :* voir note 42.

**QUESTIONS**

**103.** Quelle idée essentielle au roman est à nouveau illustrée ici par l'attitude du gouverneur à l'égard des héros?

jours fait, je n'étais qu'une ingrate. Mais vous ne sauriez croire combien je suis changée. Mes larmes, que vous avez vues couler si souvent depuis notre départ de France, n'ont pas eu une seule fois mes malheurs pour objet. J'ai cessé de les sentir aussitôt que vous avez commencé à les partager. Je n'ai pleuré que de tendresse et de compassion pour vous. Je ne me console point d'avoir pu vous chagriner un moment dans ma vie. Je ne cesse point de me reprocher mes inconstances et de m'attendrir, en admirant[162] de quoi l'amour vous a rendu capable pour une malheureuse qui n'en était pas digne, et qui ne payerait pas bien de tout son sang, ajouta-t-elle avec une abondance de larmes, la moitié des peines qu'elle vous a causées. » **(104)**

Ses pleurs, son discours et le ton dont elle le prononça firent sur moi une impression si étonnante, que je crus sentir une espèce de division dans mon âme. « Prends garde, lui dis-je, prends garde, ma chère Manon. Je n'ai point assez de force pour supporter des marques si vives de ton affection; je ne suis point accoutumé à ces excès de joie. Ô Dieu! m'écriai-je, je ne vous demande plus rien. Je suis assuré du cœur de Manon. Il est tel que je l'ai souhaité pour être heureux; je ne puis plus cesser de l'être à présent. Voilà ma félicité bien établie. — Elle l'est, reprit-elle, si vous la faites dépendre de moi, et je sais où je puis compter aussi de trouver toujours la mienne. » Je me couchai avec ces charmantes idées, qui changèrent ma cabane en un palais digne du premier roi du monde. L'Amérique me parut un lieu de délices après

---

**162.** *Admirer :* voir note 131.

## QUESTIONS

**104.** Analysez le changement qui s'est produit en Manon? Relevez-en les indices? Comment cette transformation s'explique-t-elle? Quelle scène nous y avait déjà préparés? — Montrez que Manon est désormais suffisamment détachée du personnage qu'elle était pour arriver à juger son attitude passée; remarquez à cet égard qu'elle fait siennes les formules mêmes qu'employait des Grieux, et dont elle contestait le bien-fondé, pour caractériser son comportement d'alors. — Analysez le jeu du « tu » et du « vous » dans le passage et indiquez-en la signification. — Montrez que le pathétique de ce passage tient :

— d'une part, au contraste injuste entre la pureté, la noblesse et la générosité des deux amants et la rusticité des conditions de vie qui leur sont imposées;

— d'autre part, au procédé du retour en arrière qui fait que le lecteur sait que leur immense espoir va être déçu et que les héros ne sont pas au bout de leurs peines.

cela. « C'est au Nouvel Orléans qu'il faut venir, disais-je souvent à Manon, quand on veut goûter les vraies douceurs de l'amour. C'est ici qu'on s'aime sans intérêt, sans jalousie, sans inconstance. Nos compatriotes y viennent chercher de l'or; ils ne s'imaginent pas que nous y avons trouvé des trésors bien plus estimables. » **(105)**

Nous cultivâmes soigneusement l'amitié du Gouverneur. Il eut la bonté, quelques semaines après notre arrivée, de me donner un petit emploi qui vint à vaquer dans le fort. Quoiqu'il ne fût pas bien distingué, je l'acceptai comme une faveur du Ciel. Il me mettait en état de vivre sans être à charge à personne. Je pris un valet pour moi et une servante pour Manon. Notre petite fortune s'arrangea. J'étais réglé dans ma conduite; Manon ne l'était pas moins. Nous ne laissions point échapper l'occasion de rendre service et de faire du bien à nos voisins. Cette disposition officieuse et la douceur de nos manières nous attirèrent la confiance et l'affection de toute la colonie. Nous fûmes en peu de temps si considérés, que nous passions pour les premières personnes de la ville après le Gouverneur. **(106)** **(107)**

### [Le calvaire américain.]

L'innocence de nos occupations, et la tranquillité où nous étions continuellement, servirent à nous faire rappeler insensiblement des idées de religion. Manon n'avait jamais été une

**QUESTIONS**

**105.** Montrez que cette conclusion exprime, *a contrario*, l'idée essentielle du roman, à savoir que c'est le contact d'une société corrompue qui a dégradé l'amour de Manon et de Des Grieux. — A quel thème littéraire du XVIIIe siècle se rattache cette idée de la pureté des mœurs et des sentiments au sein des sociétés non civilisées?

**106.** Montrez que cet épilogue constitue une sorte de constat de la pureté retrouvée. Quel détail, en particulier, est significatif dans la nouvelle physionomie du couple formé par Manon et le chevalier?

**107.** Sur l'ensemble de l'épisode « La métamorphose de Manon ». — N'a-t-on pas l'impression que le roman pourrait se terminer ici? Montrez, en effet, que la nature des rapports entre les deux héros a changé et que, par conséquent, le mécanisme psychologique qui entraînait le mouvement à répétition de l'action est désormais enrayé.

— Manon est le personnage essentiel de l'épisode : montrez comment s'y précise peu à peu sa métamorphose.

Michel Auclair
et Cécile Aubry
dans le film
*Manon*
de H.-G. Clouzot,
en 1948.

Phot. X.

fille impie. Je n'étais pas non plus de ces libertins[163] outrés, qui font gloire d'ajouter l'irréligion à la dépravation des mœurs. L'amour et la jeunesse avaient causé tous nos désordres. L'expérience commençait à nous tenir lieu d'âge; elle fit sur nous le même effet que les années. Nos conversations, qui étaient toujours réfléchies, nous mirent insensiblement dans le goût d'un amour vertueux. Je fus le premier qui proposai ce changement à Manon. Je connaissais les principes de son cœur. Elle était droite et naturelle dans tous ses sentiments, qualité qui dispose toujours à la vertu. Je lui fis comprendre qu'il manquait une chose à notre bonheur. « C'est, lui dis-je, de le faire approuver du Ciel. Nous avons l'âme trop belle, et le cœur trop bien fait, l'un et l'autre, pour vivre volontairement dans l'oubli du devoir. Passe d'y avoir vécu en France, où il nous était également impossible de cesser de nous aimer et de nous satisfaire par une voie légitime; mais en Amérique, où nous ne dépendons que de nous-mêmes, où nous n'avons plus à ménager les lois arbitraires du rang et de la bienséance, où l'on nous croit même mariés, qui empêche que nous ne le soyons bientôt effectivement et que nous n'anoblissions notre amour par des serments que la religion autorise? Pour moi, ajoutai-je, je ne vous offre rien de nouveau en vous offrant mon cœur et ma main, mais je suis prêt à vous en renouveler le don au pied d'un autel. » Il me parut que ce discours la pénétrait de joie. « Croiriez-vous, me répondit-elle, que j'y ai pensé mille fois, depuis que nous sommes en Amérique? La crainte de vous déplaire m'a fait renfermer ce désir dans mon cœur. Je n'ai point la présomption d'aspirer à la qualité de votre épouse. — Ah! Manon, répliquai-je, tu serais bientôt celle d'un roi, si le Ciel m'avait fait naître avec une couronne. Ne balançons[164] plus. Nous n'avons nul obstacle à redouter. J'en veux parler dès aujourd'hui au Gouverneur et lui avouer que nous l'avons trompé jusqu'à ce jour. Laissons craindre aux amants vulgaires, ajoutai-je, les chaînes indissolubles du mariage. Ils ne les craindraient pas s'ils étaient sûrs, comme nous, de porter toujours celles de l'amour. » Je laissai Manon au comble de la joie, après cette résolution. **(108)**

---

**163.** *Libertin :* libre-penseur; **164.** *Balancer :* voir note 9.

**QUESTIONS**

Question 108, v. p. 129.

[Des Grieux se rend chez le gouverneur, lui confesse ses aventures et obtient de lui la permission d'épouser Manon. Mais Synnelet, neveu du gouverneur, s'était épris de Manon en secret : l'aveu de Des Grieux lui rend la liberté de l'épouser, et son oncle lui donne aussitôt la préférence. Le chevalier, violemment torturé, revient chez le gouverneur pour le fléchir, mais l'« opiniâtre vieillard » se montre intraitable et des Grieux le quitte en proie à la rage. Sur le chemin du retour, il rencontre Synnelet qui lui propose avec un loyalisme très chevaleresque de trancher par les armes le différend qui les oppose. L'affrontement a lieu aussitôt.]

Nous nous écartâmes d'une centaine de pas hors de la ville. Nos épées se croisèrent; je le blessai et je le désarmai presque en même temps. Il fut si enragé de son malheur, qu'il refusa de me demander la vie et de renoncer à Manon. J'avais peut-être le droit de lui ôter tout d'un coup l'un et l'autre, mais un sang généreux[165] ne se dément jamais. Je lui jetai son épée. « Recommençons, lui dis-je, et songez que c'est sans quartier[166]. » Il m'attaqua avec une furie inexprimable. Je dois confesser que je n'étais pas fort dans les armes, n'ayant eu que trois mois de salle à Paris. L'amour conduisait mon épée. Synnelet ne laissa pas de me percer le bras d'outre en outre, mais je le pris sur le temps[167] et je lui fournis un coup si vigoureux qu'il tomba à mes pieds sans mouvement. **(109)**

---

**165.** *Généreux :* sens classique de « bien né », de « bonne race », et par conséquent doué des qualités morales que cela suppose; **166.** *Sans quartier :* sans merci. Il s'agit d'un duel à mort; **167.** *Prendre sur le temps*, terme d'escrime : frapper son adversaire d'une botte au moment où il s'occupe de quelque mouvement.

## QUESTIONS

**108.** Quelles raisons inspirent à des Grieux le désir d'épouser Manon? Montrez qu'elles sont différentes de celles qui lui en avaient fait former le projet au début de leur liaison. A quels obstacles s'était-il heurté? Montrez que ces obstacles ont disparu ici. Quel sentiment romanesque peut encore le faire hésiter? — Pourquoi Manon ne se sent-elle pas digne d'être l'épouse de Des Grieux? Montrez qu'il y a là, d'une part, un sentiment de culpabilité à son égard, mais aussi la marque d'un préjugé social, résidu de la civilisation européenne. — La décision des personnages vous semble-t-elle dictée par le besoin de donner une fin morale à l'histoire, ou bien est-elle dans la logique des caractères?

**109.** A quel univers littéraire cette scène fait-elle penser? Montrez que le comportement des personnages y est l'expression d'une morale héroïque : signification du duel, loyauté du combat, refus de s'avouer vaincu, thème de la « générosité ».

— A quoi des Grieux doit-il sa victoire? Montrez le caractère romanesque de cette idée.

[Effrayé à l'idée qu'il vient de tuer Synnelet, des Grieux se sent désemparé et comme pris au piège. Il rentre annoncer la fâcheuse nouvelle à Manon, qui le supplie de l'emmener avec lui, où qu'il aille, pour échapper à l'inévitable vengeance du gouverneur; sur les instances de sa maîtresse, le chevalier accepte de lui faire courir les dangers d'une route incertaine et dure, et ils décident de gagner au plus vite les colonies anglaises les plus proches, afin de se mettre à l'abri des recherches; ils quittent le soir même secrètement leur demeure, à l'insu même de leurs domestiques.]

Nous marchâmes aussi longtemps que le courage de Manon put la soutenir, c'est-à-dire environ deux lieues[168], car cette amante incomparable refusa constamment de s'arrêter plus tôt. Accablée enfin de lassitude, elle me confessa qu'il lui était impossible d'avancer davantage. Il était déjà nuit. Nous nous assîmes au milieu d'une vaste plaine, sans avoir pu trouver un arbre pour nous mettre à couvert. Son premier soin fut de changer le linge de ma blessure, qu'elle avait pansée elle-même avant notre départ. Je m'opposai en vain à ses volontés. J'aurais achevé de l'accabler mortellement, si je lui eusse refusé la satisfaction de me croire à mon aise et sans danger, avant que de penser à sa propre conservation. Je me soumis durant quelques moments à ses désirs. Je reçus ses soins en silence et avec honte. Mais, lorsqu'elle eut satisfait sa tendresse, avec quelle ardeur la mienne ne prit-elle pas son tour! Je me dépouillai de tous mes habits, pour lui faire trouver la terre moins dure en les étendant sous elle. Je la fis consentir, malgré elle, à me voir employer à son usage tout ce que je pus imaginer de moins incommode. J'échauffai ses mains par mes baisers ardents et par la chaleur de mes soupirs. Je passai la nuit entière à veiller près d'elle, et à prier le Ciel de lui accorder un sommeil doux et paisible. Ô Dieu! que mes vœux étaient vifs et sincères! et par quel rigoureux jugement aviez-vous résolu de ne les pas exaucer! **(110)**

Pardonnez, si j'achève en peu de mots un récit qui me tue. Je vous raconte un malheur qui n'eut jamais d'exemple. Toute ma vie est destinée à le pleurer. Mais, quoique je le porte sans cesse dans ma mémoire, mon âme semble reculer d'horreur, chaque fois que j'entreprends de l'exprimer.

---

**168.** *Deux lieues*, c'est-à-dire un peu moins de neuf kilomètres, ce qui, certes, de nos jours, ne représente pas un record d'endurance.

**QUESTIONS**

Question 110, v. p. 131.

Nous avions passé tranquillement une partie de la nuit. Je croyais ma chère maîtresse endormie et je n'osais pousser le moindre souffle, dans la crainte de troubler son sommeil. Je m'aperçus dès le point du jour, en touchant ses mains, qu'elle les avait froides et tremblantes. Je les approchai de mon sein, pour les échauffer. Elle sentit ce mouvement, et, faisant un effort pour saisir les miennes, elle me dit, d'une voix faible, qu'elle se croyait à sa dernière heure. Je ne pris d'abord ce discours que pour un langage ordinaire dans l'infortune, et je n'y répondis que par les tendres consolations de l'amour. Mais, ses soupirs fréquents, son silence à mes interrogations, le serrement de ses mains, dans lesquelles elle continuait de tenir les miennes me firent connaître que la fin de ses malheurs approchait. N'exigez point de moi que je vous décrive mes sentiments, ni que je vous rapporte ses dernières expressions. Je la perdis; je reçus d'elle des marques d'amour, au moment même qu'elle expirait. C'est tout ce que j'ai la force de vous apprendre de ce fatal et déplorable événement.

Mon âme ne suivit pas la sienne. Le Ciel ne me trouva point, sans doute, assez rigoureusement puni. Il a voulu que j'aie traîné, depuis, une vie languissante et misérable. Je renonce volontairement à la mener jamais plus heureuse. **(111)**

**QUESTIONS**

**110.** Quelle image de la passion des deux amants nous donne cette scène touchante? Montrez que leur amour est devenu un besoin généreux de protection réciproque; comment cela est-il souligné par le jeu des pronoms personnels et possessifs dans le passage?

— Montrez que le pathétique de cette scène tient au contraste injuste entre le caractère sublime du comportement des deux héros et la cruauté de leur situation : fatigue de Manon, blessure de Des Grieux, solitude et abandon des deux amants, dénuement au sein d'une nature hostile. Montrez la valeur symbolique du paysage ici.

— Pourquoi Prévost s'est-il étendu sur cette scène? En quoi va-t-elle accentuer le caractère pathétique de la scène suivante?

**111.** Montrez que Manon meurt en quelque sorte martyre de son amour. A qui s'adressent ses dernières pensées, ses dernières sollicitudes? — Avons-nous des détails concrets sur la mort de Manon? Montrez que les seules précisions matérielles retenues par Prévost le sont essentiellement pour leur signification psychologique. Pourquoi cette sécheresse accentue-t-elle le pathétique de la scène? — Pourquoi Prévost fait-il dire à des Grieux qu'il renonce à raconter les derniers moments de Manon? N'y a-t-il pas également une double vérité psychologique dans ce refus de Des Grieux, qui révèle :

— d'une part, le déchirement qu'il éprouve à revivre ces instants (à rapprocher de l'avertissement du début du passage);

— d'autre part, le sentiment chez lui de la profanation que constituerait un tel récit?

Je demeurai plus de vingt-quatre heures la bouche attachée sur le visage et sur les mains de ma chère Manon. Mon dessein était d'y mourir; mais je fis réflexion, au commencement du second jour, que son corps serait exposé, après mon trépas, à devenir la pâture des bêtes sauvages. Je formai la résolution de l'enterrer et d'attendre la mort sur sa fosse. J'étais déjà si proche de ma fin, par l'affaiblissement que le jeûne et la douleur m'avaient causé, que j'eus besoin de quantité d'efforts pour me tenir debout. Je fus obligé de recourir aux liqueurs que j'avais apportées. Elles me rendirent autant de force qu'il en fallait pour le triste office que j'allais exécuter. Il ne m'était pas difficile d'ouvrir la terre, dans le lieu où je me trouvais. C'était une campagne couverte de sable. Je rompis mon épée, pour m'en servir à creuser, mais j'en tirai moins de secours que de mes mains. J'ouvris une large fosse. J'y plaçai l'idole de mon cœur, après avoir pris soin de l'envelopper de tous mes habits, pour empêcher le sable de la toucher. Je ne la mis dans cet état qu'après l'avoir embrassée mille fois, avec toute l'ardeur du plus parfait amour. Je m'assis encore près d'elle. Je la considérai longtemps. Je ne pouvais me résoudre à fermer la fosse. Enfin, mes forces recommençant à s'affaiblir, et craignant d'en manquer tout à fait avant la fin de mon entreprise, j'ensevelis pour toujours dans le sein de la terre ce qu'elle avait porté de plus parfait et de plus aimable. Je me couchai ensuite sur la fosse, le visage tourné vers le sable, et fermant les yeux avec le dessein de ne les ouvrir jamais, j'invoquai le secours du Ciel et j'attendis la mort avec impatience. Ce qui vous paraîtra difficile à croire, c'est que, pendant tout l'exercice de ce lugubre ministère, il ne sortit point une larme de mes yeux ni un soupir de ma bouche. La consternation profonde où j'étais et le dessein déterminé de mourir avaient coupé le cours à toutes les expressions du désespoir et de la douleur. Aussi, ne demeurai-je pas longtemps dans la posture où j'étais sur la fosse, sans perdre le peu de connaissance et de sentiment qui me restait. **(112) (113)**

**QUESTIONS**

**112.** Montrez l'extrême dépouillement de cette scène; relevez les seuls éléments descriptifs retenus. Soulignez leur valeur symbolique.

— Montrez que malgré cette sécheresse et cette absence de pittoresque la scène tire son intensité douloureuse du fait qu'elle est vue à travers l'émotion de Des Grieux, et qu'elle tire son pathétique :

(Suite, v. p. 133.)

## [ÉPILOGUE.]

[Après cette pénible évocation, des Grieux achève brièvement son récit. Synnelet, qui n'était pas mort mais seulement blessé, révèle la loyauté avec laquelle des Grieux s'est conduit à son égard, et il le fait chercher pour se réconcilier avec lui et lui dire qu'il renonce à Manon. Malheureusement les deux amants ont déjà pris la fuite, et quelques jours plus tard le chevalier est découvert à demi mort sur la fosse où repose Manon, dont, comble de malheur, on l'accuse d'avoir voulu se débarrasser! Son procès est instruit; des Grieux obtient son acquittement grâce au témoignage de Synnelet, et se met à mener une vie triste, mais calme, régulière et paisible jusqu'au jour où un événement inattendu survient.]

Ce fut environ six semaines après mon rétablissement que, me promenant seul, un jour, sur le rivage, je vis arriver un

**QUESTIONS**

— du refus désespéré de Des Grieux de considérer Manon comme une morte : remarquez l'absence de description du cadavre; montrez que le geste de l'ensevelissement est plus dicté par un besoin de protéger que par celui d'accomplir un rituel qui aurait la valeur d'un apaisement; enfin, montrez la signification du fait que des Grieux a attendu vingt-quatre heures pour l'accomplir et de son attitude pendant cette journée;

— de l'intense douleur de Des Grieux dont le caractère exceptionnel se manifeste par l'absence des réactions banales de chagrin (larmes, soupirs, inertie) et par l'état d'inconscience quasi hypnotique dans lequel il accomplit comme mécaniquement son « triste office »;

— de la détresse matérielle du héros; quels sont les détails qui soulignent sa faiblesse, sa fatigue, l'hostilité de la nature et des choses à son égard;

— enfin, du caractère douloureux que prend ici, aux yeux du lecteur, la solitude de Des Grieux après la scène précédente, qui nous a montré que c'était seulement dans leur affection mutuelle que les deux amants trouvaient la force de supporter l'âpreté de leur situation.

— Comparez cette scène avec celle des funérailles d'Atala et dégagez la signification des différences entre les deux passages.

**113.** SUR L'ENSEMBLE DE L'ÉPISODE « LE CALVAIRE AMÉRICAIN ». — Le tragique, dans cet épisode, a-t-il la même source que dans les épisodes précédents? Montrez qu'auparavant les personnages portaient en eux-mêmes les ferments de leur inévitable déchéance, tandis qu'ici ils apparaissent comme les victimes de caprices du sort.

— Précisez en définitive l'origine de leurs nouveaux malheurs. Quelle signification doit-on donner à cet effet d'ironie qui rend les personnages victimes de leurs pieuses intentions? Doit-on voir dans leur calvaire une sorte de purification par le malheur, une grâce qui leur est accordée pour expier leurs fautes, ou bien un indice de la vanité de la religion et de l'indifférence cruelle du destin pour ceux qui n'ont pas été « élus »?

vaisseau que des affaires de commerce amenaient au Nouvel Orléans. J'étais attentif au débarquement de l'équipage. Je fus frappé d'une surprise extrême en reconnaissant Tiberge parmi ceux qui s'avançaient vers la ville. Ce fidèle ami me remit[169] de loin, malgré les changements que la tristesse avait faits sur mon visage. Il m'apprit que l'unique motif de son voyage avait été le désir de me voir et de m'engager à retourner en France; qu'ayant reçu la lettre que je lui avais écrite du Havre, il s'y était rendu en personne pour me porter les secours que je lui demandais; qu'il avait ressenti la plus vive douleur en apprenant mon départ et qu'il serait parti sur-le-champ pour me suivre, s'il eût trouvé un vaisseau prêt à faire voile; qu'il en avait cherché pendant plusieurs mois dans divers ports et qu'en ayant enfin rencontré un, à Saint-Malo, qui levait l'ancre pour la Martinique, il s'y était embarqué, dans l'espérance de se procurer de là un passage facile au Nouvel Orléans; que, le vaisseau malouin ayant été pris en chemin par des corsaires espagnols et conduit dans une de leurs îles[170], il s'était échappé par adresse[171]; et qu'après diverses courses, il avait trouvé l'occasion du petit bâtiment qui venait d'arriver, pour se rendre heureusement près de moi.

Je ne pouvais marquer trop de reconnaissance pour un ami si généreux et si constant. Je le conduisis chez moi. Je le rendis le maître de tout ce que je possédais. Je lui appris tout ce qui m'était arrivé depuis mon départ de France, et pour lui causer une joie à laquelle il ne s'attendait pas, je lui déclarai que les semences de vertu qu'il avait jetées autrefois dans mon cœur commençaient à produire des fruits dont il allait être satisfait. Il me protesta qu'une si douce assurance le dédommageait de toutes les fatigues de son voyage.

Nous avons passé deux mois ensemble au Nouvel Orléans, pour attendre l'arrivée des vaisseaux de France, et nous étant enfin mis en mer, nous prîmes terre, il y a quinze jours, au Havre-de-Grâce. J'écrivis à ma famille en arrivant. J'ai appris, par la réponse de mon frère aîné, la triste nouvelle de la mort de mon père, à laquelle je tremble, avec trop de raison, que mes égarements n'aient contribué. Le vent étant favorable pour Calais, je me suis embarqué aussitôt, dans le dessein de me

---

**169.** *Remettre :* voir note 37; **170.** Ce sont les Antilles; **171.** *Adresse :* ruse.

rendre à quelques lieues de cette ville, chez un gentilhomme de mes parents, où mon frère m'écrit qu'il doit attendre mon arrivée. **(114)**

FIN DE LA DEUXIÈME PARTIE.

## QUESTIONS

**114.** SUR L'ÉPILOGUE. — Cette arrivée de Tiberge vous semble-t-elle matériellement et psychologiquement vraisemblable? Quel effet Prévost a-t-il voulu provoquer en introduisant cet ultime épisode?

— Relevez les éléments romanesques de ce passage. Montrez-en le caractère gratuit.

## DOCUMENTATION THÉMATIQUE

réunie par la Rédaction des Nouveaux Classiques Larousse

1. *Le corps de Manon.*

**1.** *Le corps de Manon.*

Jacques Proust, dans la revue *Littérature* (Paris, Larousse, 1971), analyse le roman de l'abbé Prévost :

> Que le célèbre roman de Prévost ne contienne aucune référence descriptive à la belle personne qui en est le sujet n'est pas le moindre paradoxe de son œuvre. Ce paradoxe a été souligné depuis longtemps et les raisons n'ont pas manqué à ceux qui voulaient en rendre compte. Henri Roddier le met au crédit de l'art : « A l'adoucissement des faits, se joint [...] l'art d'éloigner sans cesse le réel dans une pénombre favorable. » Il évoque à ce propos Watteau, plus bizarrement Boucher, et même l'impressionnisme; mais il entend par là, comme beaucoup de littérateurs, l'art de suggérer un thème sur lequel la fantaisie peut se donner carrière, c'est-à-dire exactement le contraire de ce que les impressionnistes ont voulu faire en peinture[172]. Au reste, l'explication se perd dans les sables de la phraséologie : « esquisse [...] où le rythme de la phrase ajoute à la puissance de suggestion des mots », « douce harmonie », « fluidité », « style insaisissable », et ainsi de suite.
>
> L'explication par la psychologie n'a guère plus de consistance. Il n'est pas faux de dire que le *récit* de des Grieux est une *lutte* sans cesse recommencée pour rétablir en lui une *vision* devenue essentielle à sa *vie*. Mais c'est perdre le bénéfice d'une intuition juste que de l'exprimer comme le fait Henri Roddier, en langage idéaliste : « Désormais, le rêve l'emporte. Nous n'aurons jamais un portrait en pied de Manon. Elle n'apparaît qu'à travers l'âme de son amant. [...] Nulle création poétique n'a jailli d'un plus grand amour. » Dans l'introduction qu'il a donnée avec Frédéric Deloffre à l'excellente édition de *Manon Lescaut* parue chez Garnier, Raymond Picard en appelle à une autre instance, celle du lecteur. « Il y a, dit-il, autant de Manons que de lecteurs, tant est discrète la caractérisation du personnage. On sait, du moins, que la princesse de Clèves est blonde, et chacune des héroïnes de Challes est décrite avec une minutie exquise; mais on ignore jusqu'à la teinte des cheveux de Manon. Quelle est la couleur de ses yeux, la forme de son nez, l'éclat de son teint? Est-elle grande ou petite? mince ou potelée? Le roman n'en dit rien. Elle est *charmante,* et l'idée revient plus d'une demi-douzaine de fois; elle est *aimable;* il est question de sa *beauté* — mais sans aucune précision. En quoi consiste donc cet air « si fin, si doux, si engageant »? C'est,

---

**172.** « Substituer aux conventions de l'école l'analyse des données pures des sens », dit Francastel (*Nouveau Dessin, nouvelle peinture,* III, 58-59 notamment).

écrit Prévost, « l'air de l'Amour même », de même que son teint est « de la composition de l'Amour ». On saisit ici le procédé [*sic*] : il s'agit, à l'aide de formules prestigieuses dont le contenu de sentiment est riche et le contenu intellectuel à peu près nul, d'exalter l'imagination du lecteur, sans l'orienter dans aucune direction particulière. Il faut communiquer en quelque sorte une connaissance lyrique de Manon. [...] La réussite du romancier et la force obsédante de son personnage viennent surtout de ce qu'il a voulu que Manon fût en grande partie la création du lecteur. »

Il y aurait beaucoup à dire sur cette explication. Elle implique une conception du style très discutée (le style comme écart) et substitue systématiquement la description des effets — ou des affects — à l'étude de la *valeur*[173] dans le *texte*. Raymond Picard a bien perçu que par rapport à l'ensemble des œuvres de Prévost considéré comme un *système,* le refus, ou l'incapacité, de décrire Manon était en quelque sorte orienté, déterminé. Il cite dans une note une description tirée des *Mémoires d'un Honnête Homme* qui prouve en effet que Prévost pouvait aisément « s'élever » jusqu'au style descriptif, tel du moins qu'on le pratiquait alors au pays de Romancie. Mais il ne se demande pas si cette opposition (description/refus de décrire) ne relèverait pas, à l'intérieur même du système, de ces *transformations* qui permettent de dégager les lois de son fonctionnement. Pour rester au niveau où se place le critique, il serait par exemple avantageux de se demander si la propension qu'a des Grieux à gazer son discours ne se justifierait pas par le fait qu'il l'adresse au marquis de Renoncour. A l'Homme de Qualité, qui a passé la cinquantaine, qui sort d'un couvent, et qui pourrait être son père, le chevalier ne saurait parler comme à un compagnon de débauche. La relation auteur-lecteur s'inscrit donc dans un réseau plus complexe : auteur-narrateur-destinataire-lecteur, dans lequel les deux derniers éléments forment aussi un couple narrateur-destinataire.

On pourrait prolonger l'observation de Raymond Picard et inventorier les termes qui se réfèrent à la beauté de Manon. « Belle fille » (p. 12)[174], « belle personne » (p. 13), « belle inconnue » (p. 21), « belle maîtresse » (p. 21), « maîtresse aimable » (p. 26), « beaux yeux » (p. 30, p. 46), « charmante maîtresse » (p. 35, p. 86, p. 115), « traits charmants » (p. 36), « la plus aimable de toutes les filles » (p. 38), « créature toute

**173.** Ce terme, plus loin ceux de *système, texte, littérarité, poétique, style,* sont pris dans le sens où les définit Henri Meschonnic, dans *Pour la poétique,* Paris, Gallimard, 1970 ; **174.** Toutes les références données entre parenthèses renverront à l'édition Garnier, déjà citée. Les mots soulignés le seront par nous.

charmante » (p. 79, p. 157), « maîtresse si belle » (p. 103), « la plus charmante personne du monde » (p. 119), « charmante créature » (p. 126), « tant de charmes » (p. 143), « la plus aimable créature qui fût jamais » (p. 171), tant d'insistance à la fin induit au soupçon qu'il y a autre chose, ici, qu'un « procédé ». Il est trop évident qu'à force d'être repris les mots en soi ne veulent rien dire, mais leur reprise même, la manière dont ils rythment la narration, la valeur qu'ils prennent simplement parce qu'ils servent de *fond* aux mots de « lâche », « perfide » (p. 38), « malheureuse » (p. 79, p. 181), « étrange » (p. 121), « pauvre » (p. 160), « infortunée » (p. 165), l'ordre variable des adjectifs enlacés aux substantifs forment autant de figures qui ne sont pas dénuées de sens.

L'espace dans lequel jouent ces figures déborde de beaucoup le champ sémantique de *beauté,* d'*amour* et de *charme.* Dire que Manon a les yeux « fins et languissants » (p. 135), ou que son teint est « de la composition de l'Amour » (*ibid.*), ne formerait qu'une suite de clichés si le contexte global de l'œuvre ne chargeait chaque mot de connotations bien précises. C'est ici « l'air si *fin,* si doux [...], l'air de l'*Amour* même » qui enchantait le chevalier dans la scène du parloir (p. 44). C'est la *langueur* que les deux amants ont éprouvée à répéter « mille noms d'*amour* » en se retrouvant à la Salpêtrière (p. 103). Mais ce sera aussi celle de Manon captive, « *languissante* et affaiblie », « la tête appuyée *languissamment* sur un côté de la voiture » (p. 178). Des Grieux dira encore, pour parler d'elle, ce « *composé* charmant » (p. 178). On pourrait multiplier les exemples de ces mots à peu près exsangues, que leur environnement colore peu à peu de sa lumière réfléchie, et à qui leur contexte donne vigueur et substance. Car si les *yeux fins* connotent l'*air si fin, si doux,* celui-ci à son tour connote « l'*air* charmant » de l'inconnue qu'on voyait descendre du coche d'Arras (p. 19), et la « *douceur* de ses regards » (*ibid.*). Chacune de ses langueurs rappelle « l'air charmant de tristesse » qu'elle avait ce jour-là et préfigure la « *tristesse* » qui frappera l'Homme de Qualité à l'auberge de Pacy-sur-Eure (p. 11)[175]. Ainsi se constituent des séries de termes qui, dans chaque champ qui les attire à

**175.** Cf. aussi au hasard de la lecture : p. 29, « je crus apercevoir de la *tristesse* sur le visage et dans les yeux de ma chère maîtresse » ; *ibid.,* « c'était un sentiment *doux* et *languissant* » ; p. 31, « Cette *tristesse* extraordinaire dont je l'avais vue comme accablée » ; p. 49, « Manon était la *douceur* et la complaisance même » ; p. 51, « la tristesse de Manon » ; p. 61, « [j'étais le seul] qui pût lui faire goûter les *douceurs* de l'*amour* » ; p. 102, « il nous dit que c'était une *douceur* angélique » ; p. 119, « je trouve encore de la *douceur* dans un souvenir » ; p. 144, « en reprenant un *air* tranquille » ; p. 160, « l'éloge de sa *douceur* et de son bon naturel » ; p. 171, « la plus *douce* et la plus aimable créature », etc.

son tour, conservent pour ainsi dire l'empreinte mnémonique de tous les champs parcourus avant lui. Chaque terme étant au point de croisement de deux ou trois séries, nous voyons se tisser à mesure que le récit s'ordonne une sorte de gaze impalpable dont la fonction est autant de voiler que de révéler l'objet de la passion du chevalier.

Cet objet n'est pas vu. A peine est-il entrevu. Mais le réseau de ces signifiants sans signifié, de ces mots sans autre « réalité » que celle dont les chargent d'autres mots, le cerne avec un doux entêtement. *Figure* d'une caresse sans fin recommencée, sans fin refusée, cette fuite, ce glissement perpétuel du sens, d'un mot à l'autre mot.

Le narrateur (des Grieux, *via* Renoncour, ou Renoncour lui-même) dit d'ailleurs quelquefois de façon explicite ce que l'analyse précédente fait apparaître comme figure. Le premier mouvement de Manon, lorsqu'elle s'aperçoit qu'on l'observe, est de se cacher : « Elle tâchait néanmoins de se tourner, autant que sa chaîne pouvait le permettre, pour *dérober* son visage aux yeux des spectateurs. L'effort qu'elle faisait pour *se cacher* était si naturel, qu'il paraissait venir d'un sentiment de *modestie* » (p. 11). Et chaque fois que les termes *modestie, modeste,* ou *timide* apparaîtront dans le texte, ce geste caractéristique sera entrevu comme en surimpression : « Elle me répondit avec une *modestie* si douce et si charmante » (p. 15). Il en sera de même lorsqu'on la verra défaillir : « Elle était si éperdue que j'avais peine à la soutenir [...]. Elle était à *demi pâmée* près de moi » (p. 108). Ainsi se constitue au niveau de la représentation une figure complémentaire de la précédente : celle d'un visage (ou d'un corps) qui se dérobe volontairement ou instinctivement à des yeux trop inquisiteurs : « Voyant que mon silence continuait, elle mit la main devant ses yeux, pour *cacher* quelques larmes. Elle me dit, d'un ton *timide...* » (p. 44) ; « Elle ne me répondit point, mais lorsque je fus assis, elle se *laissa tomber* à genoux et elle appuya sa tête sur les miens, en *cachant son visage* de mes mains » (p. 141). A la limite de l'épuisement, Manon ferme les yeux, et ce mouvement imperceptible suffit à la retrancher du monde : « Mais figurez-vous ma pauvre maîtresse enchaînée par le milieu du corps [...] le visage pâle et mouillé d'un ruisseau de larmes qui se faisaient un passage au travers de ses paupières quoiqu'elle eût *continuellement les yeux fermés.* Elle n'avait pas même eu la curiosité de les ouvrir lorsqu'elle avait entendu le bruit de ses gardes » (p. 178).

Il faut ajouter à ces traits la *pâleur*. Car si nous ne savons pas ce qu'est un teint « de la composition de l'Amour », nous voyons quelquefois *Manon* pâlir. Dans le contexte du temps et surtout dans celui de l'œuvre, c'est le symptôme visible d'un tarissement du flot sanguin, signe lui-même d'une déperdition de vie : « Elle demeura dans la situation où elle était et elle jeta les yeux sur moi *en changeant de couleur* » (p. 140) ; « la tête appuyée languissamment sur un côté de la voiture, le visage *pâle* et mouillé d'un ruisseau de larmes » (p. 178).

Certes, Manon ne nous est pas toujours présentée dans la position d'une personne qui se dérobe, et elle ne pâlit que dans des circonstances exceptionnelles. Mais il n'est pas indifférent que son *premier* geste noté soit celui de quelqu'un qui se cache, et que son visage soit exsangue *chaque fois que* le narrateur juge bon de se référer précisément à sa couleur. Au-delà de Manon vivante, exubérante — et elle l'est aussi quelquefois — nous devons toujours voir l'ovale blafard de ce visage aux traits indistincts, cette forme qui défaille ou s'efface. C'est comme un double fantomatique et douloureux qui la suit tout le long du récit.

D'ailleurs le mode d'apparition de Manon est le plus souvent celui qu'on prête aux spectres. Rien ne l'annonce, qu'un irrésistible sentiment de *curiosité,* chez les témoins du phénomène. C'est « quelque chose » de « barbare », une *chose* qui fait « horreur et compassion », qui dès l'abord excite, et de façon assez morbide, la « curiosité » de Renoncour (p. 11). Puis la « chose » prend corps : parmi les douze filles enchaînées six par six, il en est une dont la « figure » attire particulièrement les regards. Mais elle ne les attire que parce qu'elle tente de s'y dérober, et son image disparaît aussitôt de la narration. Lorsque des Grieux et Tiberge voient arriver le coche d'Arras, la « curiosité » les pousse aussi à le suivre. Des femmes en sortent, qui se dispersent et s'en vont. Une seule reste. Le mot d'*apparition* n'est pas employé dans le texte, mais le rythme soudain syncopé du *phrasé* en est à son niveau la figure exacte : « Il en sortit quelques femmes, qui se retirèrent aussitôt. Mais il en resta une, fort jeune, qui s'arrêta seule dans la cour » (p. 19-20). Plus tard, lorsque des Grieux narrera sa rencontre avec Manon au parloir de Saint-Sulpice, il dira plus explicitement : « J'allai au parloir sur-le-champ. Dieux ! quelle *apparition* surprenante ! J'y trouvai Manon. C'était elle, mais plus aimable et plus brillante que je ne l'avais jamais vue » (p. 44)[176]. Il dira encore, après l'enlèvement de Manon, à la Salpêtrière : « Je me serais donné mille fois la mort, si je n'eusse pas eu, dans mes bras, le seul bien qui m'attachait à la vie. Cette seule pensée me

---

**176.** Un des modes d'*apparition* de Manon est de surgir dans l'encadrement d'une fenêtre. C'est ainsi qu'elle a attiré les premiers regards de M. B. (p. 46) et qu'elle se fait reconnaître par son frère (p. 51). Cf. également p. 24.

remettait. Je la tiens du moins, disais-je; elle m'aime, elle est à moi. Tiberge a beau dire, ce n'est pas là un *fantôme* de bonheur » (p. 108). La référence aux *anges,* dans un tel contexte, ne doit évidemment pas être prise pour un lieu commun. Quand le valet de l'hôpital qui conduit des Grieux vers Manon dit d'elle que c'est « une douceur angélique » (p. 102), il traduit dans son langage l'affect ressenti dans d'autres circonstances par des Grieux ou par Renoncour.

Dans l'ensemble du roman conçu comme système, il y a une homologie incontestable entre la manière dont s'agencent entre elles certaines de ses parties et les faits de structure que nous avons relevés au niveau des mots et des phrases. Toutes les remarques faites jusqu'à présent s'inscrivent en effet dans l'ombre portée d'une scène unique, qui est le récit de la mort et de l'ensevelissement de Manon. C'est cette scène, située en quelque sorte au *point de fuite* de la composition, qui en ordonne les masses et les détails. Et pour revenir plus précisément à l'*objet* de notre sollicitude critique, je dirai que si l'auteur ne nous montre jamais le corps de Manon, c'est parce qu'au moment où Renoncour — ou des Grieux — nous en parle, ce ne pourrait être qu'un objet d'effroi et de répulsion, « une chose barbare » inspirant « horreur et compassion », un « spectacle [...] capable de fendre le cœur » (p. 11). Manon n'est plus qu'un cadavre décomposé, et ce n'est certainement pas un hasard si à deux reprises au moins dans le récit l'*idée* de la décomposition est connotée par des termes contraires : « Je jetai les yeux sur la fille qui était devant moi [...]. Mais je n'y trouvai point ces yeux fins et languissants, ce port divin, ce teint de la *composition* de l'Amour, enfin ce fonds inépuisable de charmes que la nature avait prodigués à la perfide Manon » (p. 135)[177]; « son linge était sale et dérangé, ses mains délicates exposées à l'injure de l'air; enfin tout ce *composé* charmant, cette figure capable de ramener l'univers à l'idolâtrie paraissait dans un désordre et un abattement inexprimable » (p. 178).

Il est remarquable que ces termes de *composition* et de *composé* ne soient pas utilisés dans la scène même de l'ensevelissement. Mais l'idée contraire qu'ils connotent (la décomposition) y est présente sous deux formes : d'abord dans l'expression de la crainte de des Grieux (que le corps de

177. L'annotateur de l'édition Garnier écrit : « Le vague de ce portrait — le plus précis qui soit donné de Manon — frappe davantage encore si on le rapproche des nombreux portraits de jeunes filles des *Illustres Françaises.* » Mais le portrait en question ne peut paraître *vague* que dans une lecture « plate », juxtalinéaire, du roman. Tout change dès qu'on le voit intégré dans son contexte, chacun des termes qui le composent tenant par de multiples fils à d'autres parties de l'œuvre. Nous avons déjà isolé le point de départ de quelques-uns de ces fils, dans la séquence proposée.

Manon ne devienne « la pâture des bêtes sauvages ») et surtout dans ce *sable* à quoi tout le cadre naturel de l'épisode semble se résumer, puisqu'il en est le seul élément dénoté : « C'était une campagne couverte de *sable* » ; « pour empêcher le *sable* de la toucher » ; « Je me couchai ensuite sur la fosse, le visage tourné vers le *sable* » (p. 200). Il est assez vain d'épiloguer comme le fait l'annotateur de l'édition Garnier (p. 198, n. 3) sur l'invraisemblance de cette plaine de sable aux portes de La Nouvelle-Orléans, et sur le caractère allégorique de l'image du désert. Même si l'auteur a pensé à cette allégorie, il ne nomme pas ici le *désert*[178], mais le *sable,* et c'est de ce choix précis que l'analyse doit rendre compte. *Dans le contexte, par le contexte, le sable devient un mot poétique, la figure métonymique d'un objet proprement innommable.* Je me propose justement comme hypothèse de travail de prendre ce *sable* comme « blason » de l'*Histoire du chevalier des Grieux et de Manon Lescaut.* Blason du corps ineffable de Manon, « emblème » du *texte* considéré comme figure du tombeau de Manon.

Il faut ici revenir quelque peu en arrière, pour dire un mot de la circularité et de la clôture de roman de Prévost. En disant qu'il est circulaire, et clos, j'essaie de caractériser ce mode particulier de composition qui fait que la première séquence narrative (la rencontre de Pacy-sur-Eure) est chronologiquement la pénultième — si l'on considère l'épisode de La Nouvelle-Orléans comme une seule séquence. Rien n'est dit de la mort de Manon au moment où la narration de des Grieux commence (p. 17), mais cette mort n'en est pas moins un fait passé pour lui. Et d'ailleurs certains indices dans la narration de Renoncour laissent pressentir un événement tragique : des Grieux est seul, il est extrêmement pâle, ses premières déclarations à Renoncour ne parlent que de lui, de ses malheurs et de ses peines ; mais Manon n'est pas nommée. Tout contribue dans l'organisation générale du texte à faire de la scène de la mort et de l'ensevelissement la clef de voûte de tout le système, à tous les niveaux de ce système. Jean Sgard en a bien rendu compte à propos du *ton* du récit de des Grieux, par exemple. Le narrateur, dit-il, « est plein de cette catastrophe que l'on attend depuis le début du roman et qu'il sous-entend à chaque instant [...] Manon, à Saint-Sulpice, aurait moins d'éclat, elle paraîtrait moins folle chez le vieux G. M., et moins capricieuse avec le prince italien, si l'on ne savait qu'elle est morte[179] ».

Je vais plus loin encore, en disant que l'œuvre entière peut être considérée comme une figure du corps décomposé de

---

**178.** « Stériles campagnes » (p. 197), « vaste plaine » (p. 198), « campagne » (p. 200) ; **179.** *Prévost romancier,* Paris, Corti, 1968, p. 300.

Manon. Elle l'est en ce sens qu'il n'est aucun des traits « physiques » — mots, images, séquences descriptives — évoqués dans le texte, qui ne se réfère directement ou indirectement à la représentation finale du cadavre prêt à retourner à la poussière. L'ensemble de ces traits dispersés dans le roman est si l'on veut comme ces paragrammes que Saussure s'amusait à lire dans les poètes latins[180].

On pourrait symboliser cet aspect paragrammatique de l'œuvre en inscrivant la scène de la mort et de l'ensevelissement au milieu d'un plan dans lequel toutes les séquences concernant le corps de Manon dans le reste du texte seraient disposées en séries, prenant chacune son origine dans un trait de cette scène. Ainsi apparaîtrait à l'évidence ce qui donne à ces traits leur valeur, au-delà (ou en deçà) de tout « réalisme » de surface. A ne considérer que sept des séquences narratives qu'on peut découper dans le texte à ce plan-là, la rencontre de Pacy (p. 11-15), la rencontre d'Arras (p. 19-21), la scène du parloir (p. 44-45), les retrouvailles à la Salpêtrière (p. 103-104), les retrouvailles dans la maison de G. M. (p. 140-148), le voyage en charrette (p. 178-182), la septième étant la scène « origine » ou Ω (p. 199-201), ces séries seraient les suivantes[181] :

SÉRIE I : MAINS-TREMBLANTES-EMBRASSÉE

*Séquence origine :* « ses mains [...] froides et tremblantes... je les approchai de mon sein... faisant un effort pour saisir les miennes... le serrement de ses mains, dans lesquelles elle continuait de tenir les miennes... la bouche attachée sur [...] les mains de ma chère Manon... je tirai moins de secours [de mon épée] que de mes mains... après l'avoir embrassée mille fois... »

*Séquence 1 :* une vieille femme qui sortait [...] en joignant les mains... »

*Séquence 3 :* « j'attendais [...] avec tremblement... elle mit

180. Voir les publications successives qu'en a faites Jean Starobinski dans *le Mercure de France* en février 1964, dans les *Mélanges Jakobson,* en 1967, dans *Tel Quel,* n° 37, au printemps 1969. Cf. Thomas Aron, « Une seconde révolution saussurienne », dans *Langue française,* n° 7, septembre 1970, p. 56-62;

181. Chaque série constitue un champ sémantique autour d'un terme (LARME), ou d'un groupe de termes étroitement associés dans la séquence origine (VOIX FAIBLE-SOUPIR-SILENCE). Pour être valable, cette analyse ne suppose naturellement en aucune façon que l'auteur ait commencé à écrire son roman par la fin! Le caractère « premier » de ce que j'appelle la séquence origine (ou la scène originelle) est d'ordre ontologique et non pas génétique. Quel que soit l'ordre chronologique de la rédaction, l'important est de faire apparaître que les mots, le phrasé, bref tout ce qui fait un texte, s'ordonne selon un projet d'ensemble — conscient ou inconscient — qui ne saurait être confondu avec celui d'aucun autre que Prévost, même si les mots de son lexique, certains clichés, plusieurs de ses figures, se retrouvent chez tel ou tel de ses contemporains.

sa main devant ses yeux... elle se leva avec transport pour venir m'embrasser... Je pris ses mains dans les miennes... »
*Séquence 4 :* « nous nous embrassâmes... elle me retenait par les mains... »
*Séquence 5 :* « en venant m'embrasser... je me dégageai de se bras... je la vis trembler... je vous vois pâle et tremblante... en cachant son visage de mes mains.. elle baisait mes mains... elle me regardait en tremblant... je la pris entre mes bras... elle laissa tomber ses bras sur mon cou... ne pas sortir les mains vides...
*Séquence 6 :* « ses mains délicates exposées à l'injure de l'air... elle fut longtemps sans pouvoir [...] remuer les mains. »

SÉRIE II : VOIX FAIBLE-SOUPIRS-SILENCE

*Séquence origine :* « elle me dit, d'une voix faible... soupirs fréquents... silence... il ne sortit point [...] un soupir de ma bouche... »
*Séquence 1 :* [silence de Manon]
*Séquence 2 :* « après un moment de silence.. »
*Séquence 3 :* « voyant que mon silence continuait... ton timide... je commençai plusieurs fois une réponse, que je n'eus pas la force d'achever... je n'y répondais qu'avec langueur... »
*Séquence 4 :* « nos soupirs, nos exclamations interrompues... repris languissamment... »
*Séquence 5 :* « j'avais à peine la force d'ouvrir la bouche... je demeurai quelque temps en silence... elle ne me répondit point... repris-je avec un soupir... Elle rompit enfin le silence... sans oser respirer... des mais et des si interrompus... »
*Séquence 6 :* [silence de Manon] « soupirs... elle fut longtemps sans pouvoir se servir de sa langue... ne pouvant proférer moi-même une seule parole... Manon parla peu... le son [des organes de sa voix] était faible et tremblant... sans avoir la force d'achever quelques mots qu'elle commençait... »

SÉRIE III : MARQUES D'AMOUR-ARDEUR

*Séquence origine :* « tendres consolations de l'amour... je reçus d'elle des marques d'amour, au moment même qu'elle expirait... la bouche attachée sur le visage et sur les mains... après l'avoir embrassée mille fois, avec toute l'ardeur du parfait amour... »
*Séquence 2 :* « enflammé tout d'un coup jusqu'au transport... »
*Séquence 3 :* « elle se leva avec transport pour venir m'embrasser. Elle m'accabla de mille caresses passionnées... pour exprimer ses plus vives tendresses... [les] mouvements tumultueux que je sentais renaître... »
*Séquence 4 :* « nous nous embrassâmes avec cette effusion de tendresse... »

*Séquence 5 :* « loin de répondre à ses caresses... de quels mouvements n'étais-je point agité... Je me précipitai [vers elle] sans réflexion. Je la pris entre mes bras, je lui donnai mille tendres baisers... »
*Séquence 6 :* « elle tenta de se précipiter hors de la voiture pour venir à moi... Tous les mouvements de son âme semblaient se réunir dans ses yeux... »

SÉRIE IV : PRÈS-CONSIDÉRAI

[rapprochement dans l'espace ou par le regard]

*Séquence origine :* « Je m'assis encore près d'elle. Je la considérai longtemps... Je me couchai ensuite sur la fosse, le visage tourné vers le sable... »
*Séquence 2 :* « je m'avançai vers la maîtresse de mon cœur... la douceur de ses regards... »
*Séquence 3 :* « je demeurai interdit à sa vue... Je demeurai debout, le corps à demi tourné, n'osant l'envisager directement... Nous nous assîmes l'un près de l'autre [...] Ah ! Manon, lui dis-je en la regardant d'un œil triste... »
*Séquence 5 :* « je la repoussai avec dédain, et je fis deux ou trois pas en arrière pour m'éloigner d'elle... Elle demeura dans la situation où elle était et elle jeta les yeux sur moi... J'étais [...] charmé de la revoir... Je ne pus soutenir ce spectacle... Je vous vois pâle et tremblante... Ouvrez les yeux, voyez qui je suis.. Elle me regardait en tremblant et sans oser respirer. Je fis encore quelques pas vers la porte, en tournant la tête, et tenant les yeux fixés sur elle... Je retournai vers elle... Je la fis asseoir... »
*Séquence 6 :* « les yeux fermés... Elle n'avait pas même eu la curiosité de les ouvrir... J'employai quelque temps à la considérer... [je m'attirai] quelques regards... Je quittai mon cheval pour m'asseoir auprès d'elle... Elle tenait [ses yeux] fixés sur moi... Je trouvai ma félicité dans ses regards... Je m'oubliais du matin au soir près de Manon... »

SÉRIE V : LARME

*Séquence origine :* « il ne sortit point une larme de mes yeux... »
*Séquence 2 :* « il laissa tomber quelques larmes en finissant [son récit]... »
*Séquence 3 :* « elle mit la main devant ses yeux, pour cacher quelques larmes... elle me répéta, en pleurant à chaudes larmes... »
*Séquence 4 :* « nous pleurâmes amèrement.. »
*Séquence 5 :* « je sentis en un instant qu'elle mouillait [mes mains] de ses larmes... On ne verse pas des pleurs si tendres pour un malheureux qu'on a trahi... »
*Séquence 6 :* « le visage pâle et mouillé d'un ruisseau de

larmes... Je mouillai pendant ce temps-là [ses mains] de mes pleurs... »

Peut-on aller plus loin, et se demander si cette machinerie merveilleusement agencée a un sens ? Je pense qu'on le peut. Je dirai même que le vrai sens de l'œuvre a plus de chances d'être appréhendé au niveau de sa *litérarité,* plutôt que dans les discours « idéologiques » de Tiberge, ou même dans l'*Avis de l'auteur* qui sert traditionnellement de préface au roman. Il faut revenir à la première figure dégagée par l'analyse (caresse sans fin recommencée, sans fin refusée) et à ses compléments au niveau de la représentation (le corps qui se dérobe, le vivant qui se vide de son sang, le spectre). Nous avons vu comment ils s'intégraient dans un système de signes, immanent au texte et ordonné selon une des lois de transformation du texte. Nous avons vu aussi que dans ce système le corps de Manon ne pouvait être ni représenté ni décrit. C'est, à la lettre, *un objet indicible,* toujours présent derrière le voile des mots, mais toujours prêt à se dérober à la prise, comme le sable qui lui sert d'emblème et de tombeau.

Tout n'est pas dit pourtant lorsqu'on a parlé de l'ombre portée sur le roman par la vision finale du narrateur, au niveau des figures comme des représentations. Il faut se demander si l'*histoire* même des rapports entre le chevalier des Grieux et Manon n'est pas commandée par cette loi de transformation. Or ici nous trouvons l'œuvre *en défaut*[182]. D'un côté, en effet, on ne peut concevoir que l'amour des deux jeunes gens reste platonique. Sans même donner un sens impur aux *marques d'amour,* aux *vives tendresses,* aux *caresses passionnées,* ni voir dans les *ruisseaux de larmes* l'expression métaphorique de ce que Jean Starobinski appelle joliment « le symbole opportun d'une humeur plus organique[183] », il est dans le texte assez d'indices *objectifs* d'une union renouvelée et assez étroite des corps. Ce sont eux qui faisaient lâcher à Mathieu Marais le gros mot de « priapée[184] ». Priapée ? C'est beaucoup dire. Pourtant, c'est bien Prévost qui a écrit : « Je tenais Manon si étroitement serrée entre mes bras que nous n'occupions qu'une place dans le carrosse. Elle pleurait de joie, et je sentais ses larmes qui mouillaient mon visage... » (p. 107)[185]. Casanova sera moins discret, mais l'auteur de *Madame Bovary* ne paraîtra pas aussi précis. Prévost ne décrit pas les ébats du jeune couple, mais il en nomme sans

---

**182.** Pour l'usage qui peut être fait du concept de *défaut,* voir Pierre Macherey, *Pour une théorie de la production littéraire,* Paris, Maspero, 1966 ; **183.** C'est à propos de Rousseau, dans *l'Œil vivant II, la relation critique,* Paris, Gallimard, 1970, p. 132 ; **184.** Cité dans H. Roddier, *l'Abbé Prévost, l'homme et l'œuvre,* p. 91 ; **185.** Cf. p. 157 : « Nous partîmes dans le même carrosse. Elle se mit dans mes bras. » Dans la première scène, la situation est d'autant plus scabreuse que des Grieux n'est vêtu que d'un surtout, sans culotte.

vaines circonlocutions le lieu attendu : « Nous étions encore au *lit*, lorsqu'un exempt de police entra dans notre chambre... » (p. 78) ; « Je me préparai à occuper le *lit* de G. M., comme j'avais rempli sa place à table... » (p. 151) ; « J'allais me mettre au *lit*, lorsque [G. M.] arriva [...] Nous étions prêts à nous mettre au *lit...* » (p. 152). D'autre part, certaines des qualités que des Grieux se plaît à reconnaître à Manon sont susceptibles d'être entendues plus particulièrement de ses aptitudes érotiques : sa *complaisance*, sa *douceur*, son *bon naturel*. On peut — lorsqu'on a lu Sade — trouver un sens équivoque à une phrase comme celle-ci : « Elle remarquait [mes attentions] et cette vue, jointe au vif ressentiment de l'étrange extrémité où je m'étais réduit pour elle, la rendait si tendre et si passionnée, si attentive aussi à mes plus légers besoins, que c'était, entre elle et moi, une perpétuelle émulation de services et d'amour » (p. 184). Il y a même des déclarations plus suggestives de des Grieux, comme celle-ci : « [J'étais] le seul, comme elle en convenait volontiers, qui pût lui faire goûter parfaitement les douceurs de l'amour » (p. 61). Enfin tous les lecteurs de Prévost connaissent la petite phrase de des Grieux à G. M. : « Monsieur, c'est que nos chairs se touchent de bien proche ; aussi j'aime ma sœur Manon comme un autre moi-même. »

On peut cependant se demander si certaines expressions équivoques employées par Prévost doivent vraiment s'entendre en deux sens, ou si elles ne sont pas formées de manière à rester à mi-chemin de l'un et de l'autre. Cela ne revient-il pas au même, si le lecteur est incité à faire en imagination l'autre partie du trajet ? Et il l'est, nécessairement, par les données objectives de l'histoire. Nous pourrions ici paraphraser des Grieux lorsqu'il évoque les rapports de G. M. avec Manon, et dire : « On ne peut espérer que le chevalier l'ait laissée, tout ce temps, comme une vestale. » Mais on ne peut parler d'histoire objective *à la rigueur*, puisque des Grieux et Manon sont des êtres de fiction. Il ne s'agit que de vraisemblance, et tout ce qu'on peut dire à ce propos, c'est que Prévost a su réunir toutes les circonstances qui rendent très probable l'union « parfaite » du chevalier et de Manon, et cela dès leur arrivée à Saint-Denis, après leur fuite d'Arras : « Nous étions si peu réservés dans nos caresses, que nous n'avions pas la patience d'attendre que nous fussions seuls. Nos postillons et nos hôtes nous regardaient avec admiration, et je remarquais qu'ils étaient surpris de voir deux enfants de notre âge, qui paraissaient s'aimer jusqu'à la fureur [...]. Nous nous trouvâmes époux sans y avoir fait réflexion » (p. 25).

Tout cela paraît clair et l'est en effet, au niveau de l'énoncé, c'est-à-dire de l'histoire racontée. Mais ce qui donne sa valeur à l'œuvre, ce qui la rend ou ne la rend pas poétique, c'est la *manière* dont elle est racontée, c'est-à-dire son *style*. Or, à cet égard, le texte de Prévost est singulièrement en retrait par rapport aux circonstances du récit. Le narrateur dit une fois : « Nous nous trouvâmes époux. » Il dit ailleurs : « Nous étions dans le délire du plaisir » (p. 151). Mais il reste en définitive fort discret sur la nature de ce *plaisir*, et sur l'espèce de *délire* que Manon et lui pouvaient éprouver.

On dira que s'adressant à l'Homme de Qualité il devait être discret. Mais cette raison de convenance n'est pas satisfaisante. On sent qu'il y a autre chose. C'est si vrai que Raymond Picard — peu enclin d'ordinaire à ce genre de spéculation — a pu se demander si Manon n'était pas frigide. « On n'oserait l'affirmer, dit-il, puisque le Chevalier arrive — lui seul d'ailleurs — à « lui faire goûter parfaitement les douceurs de l'amour ». » Mais cette expérience ne semble guère la marquer. L'acte d'amour est pour elle un plaisir parmi d'autres, et qui ne saurait s'inscrire dans un être de façon privilégiée [...]. *Son corps lui reste extérieur* » (p. CXXII ; c'est moi qui souligne).

Il est vain, naturellement, de se demander si Manon — personnage de fiction, j'y insiste — « était » frigide et quelles relations elle « avait » avec le chevalier, ou G. M. Ce dont il faut rendre compte, c'est de la *discordance* constatée dans le texte entre les déclarations ostensibles prêtées par l'auteur à son personnage d'une part, et d'autre part le mode singulier de présence-absence qu'a le corps de Manon dans les parties descriptives de la narration.

Or il y a une analogie évidente entre ce mode de « présence » et la manière dont Prévost, le plus souvent, gaze le moment de l'union charnelle, après avoir détaillé les circonstances qui peuvent en favoriser l'accomplissement. Ce phénomène d'occultation — ne parlons pas pour l'instant de censure — est d'autant plus remarquable que l'envahissement des corps par le désir, et les gestes qui le favorisent, sont au contraire dénotés sans fausse pudeur.

La forme *restrictive* de la phrase (« Nous étions si peu réservés dans nos caresses... ») est peut-être aussi importante que son énoncé. Prévost use si souvent de ce moule grammatical qu'on pourrait même à bon droit parler cette fois de « procédé ». Dans la séquence descriptive de Pacy-sur-Eure : « si peu conforme à sa condition que » ; « l'enlaidissaient si peu que » ; « autant que la chiourme pouvait le permettre » ; dans la séquence de l'hôtellerie d'Arras : « pas d'autres motifs que » ; « loin d'être arrêté alors par cette faiblesse » ; « quoiqu'elle fût encore moins âgée que » ; « sans paraître embarrassée » ; dans la séquence des retrouvailles chez G. M. :

« loin d'être effrayée » ; « elle ne donna que ces marques légères de surprise » ; « loin de répondre à ses caresses » ; « ne laissa pas de la déconcerter » ; dans la séquence du voyage en charrette : « quoiqu'elle eût continuellement les yeux fermés » ; « j'étais si peu moi-même que » ; « elle tenta de se précipiter, mais » ; « si languissante et si affaiblie que » ; « sans avoir la force d'achever » ; dans la séquence de l'ensevelissement : « je n'y répondis que par les tendres consolations de l'amour » ; « je ne la mis dans cet état qu'après l'avoir embrassée » ; « je ne pouvais me résoudre à » ; « aussi ne demeurai-je pas longtemps dans la posture où j'étais sur la fosse, sans perdre le peu de connaissance et de sentiment qui me restait ».

Plutôt que de procédé, je préférerais parler de *figure,* car c'en est une encore, dans le contexte et par lui. Et cette figure, en l'occurrence, m'a tout l'air de recouvrir une *idée obsédante*[186]. Associée à la figure de la caresse sans fin refusée, sans fin recommencée, et à la représentation récurrente d'un corps qui se dérobe ou d'une vie qui s'épuise, elle revient en effet à poser devant l'actant un obstacle idéal ou matériel qui l'oblige tantôt à différer la réalisation de son désir, tantôt à le satisfaire de la façon la plus expéditive, selon que l'obstacle, ou le désir, est le plus fort. De toute façon l'obstacle de la mort est infranchissable. Et compte tenu de la façon dont le roman est ordonné par rapport à la scène originelle de l'ensevelissement, on peut dire que tous ceux que rencontrent des Grieux et Manon jusqu'à la séparation finale y renvoient métaphoriquement.

Au nombre de ces obstacles, il faut compter Manon elle-même. Je ne fais pas ici allusion à son caractère, ou à ses mœurs. Je pense à Manon comme maîtresse de des Grieux, ou plus précisément à la représentation qui nous est donnée d'elle, en tant qu'être physique, dans ses relations amoureuses avec le chevalier. Raymond Picard parle à son propos de « femme-objet » et j'ai déjà souligné dans son introduction au roman une formule qui me paraissait heureuse : « Son corps lui reste extérieur. » Je serai plus hardi et, s'il est vrai que ce corps, dans le texte, n'a pas de présence réelle, que cet *objet,* constamment offert au désir, se dérobe sans cesse à sa prise, je dirai que le tragique, dans *Manon Lescaut,* ne vient pas seulement de la séparation des amants par la mort : il naît aussi, *et d'abord,* d'une disproportion entre l'ardeur du désir masculin et l'impossibilité physique où est sa partenaire

186. J'emprunte l'expression — en même temps que l'instrument d'analyse — à Jean Starobinski, « Le fusil à deux coups de Voltaire. La philosophie d'un style et le style d'une philosophie », dans la *Revue de Métaphysique et de Morale,* 1965, p. 284.

de répondre activement à ce désir. Ce n'est pas un hasard si le seul moment où les amants nous sont donnés « à voir » étendus l'un contre l'autre, unis dans le simulacre d'une étreinte aussi ardente que vaine, vient juste après l'ensevelissement du corps de Manon : « Je me couchai ensuite sur la fosse, le visage tourné vers le sable, et fermant les yeux avec le dessein de ne les ouvrir jamais, j'invoquai le secours du Ciel et j'attendis la mort avec impatience » (p. 200). Quelques remarques incidentes du narrateur, et l'état de quasi-nudité où il se trouve[187], ne nous permettent pas d'ignorer la signification réelle, quoique sublimée, de cette « posture » : il y perd le peu de « connaissance » et de « sentiment » qui lui reste, mais il ne sort pas « une larme » de ses yeux[188]. Figure parfaite du désir qu'exaspère la proximité de l'objet interdit et qui n'en finit pas de se dévorer lui-même[189].

Le moment est venu de rassembler les indices qui, dans le texte, permettent de comprendre un peu plus précisément de quelle nature est cet *interdit*. Il faut pour cela revenir à la petite phrase : « Monsieur, c'est que nos *chairs* se touchent de bien proche ; aussi j'aime ma *sœur* Manon comme *un autre moi-même* » (p. 77). Dans le contexte immédiat de l'anecdote, cela passe pour un mot d'esprit. Mais dans le contexte global, c'est un mot d'esprit révélateur. Il est à rapprocher de tout ce qui dans le roman se réfère à l'apparence assez peu différenciée des deux amants, à leur extrême jeunesse, au fait qu'on les prend pour *frère* et *sœur*. A Pacy-sur-Eure, l'un des gardes de Manon dit du chevalier : « Il faut que ce soit son *frère* ou son amant » (p. 12). Mais la manière dont sont représentés les deux jeunes gens est plus significative encore. Des Grieux le répète avec insistance : ils étaient des enfants, tout le monde les traitait comme des enfants. Il dit une « petite fille » en parlant d'une servante « à peu près » de leur âge (p. 27). Et la vivacité de sa réaction, à la pensée d'être fessé, lorsqu'il arrive à Saint-Lazare, est plus d'un jeune garçon que d'un adulte : « Mon père, lui dis-je, point d'indignités. Je perdrai mille vies avant que d'en souffrir une » (p. 80)[190]. La figure de des Grieux n'est pas mieux décrite que celle de Manon[191]. Mais l'essentiel est que leurs deux figures se ressemblent au point qu'on puisse les prendre l'un

**187.** Il s'est dépouillé de tous ses habits au début de la nuit (p. 199) et les hommes partis à sa recherche le trouveront presque nu sur la fosse (p. 201) ; **188.** Raymond Picard voit là une « anomalie psychologique » (p. CXIV). Le recours à la physiologie rend mieux compte des faits ; **189.** Des Grieux renaîtra, et il pourra revivre indéfiniment son aventure en la recontant ; **190.** On pense au jeune Chateaubriand dans un épisode célèbre des *Mémoires d'outre-tombe ;* **191.** Renoncour dit : « Je découvris dans ses yeux, dans sa figure et dans tous ses mouvements, un air si fin et si noble que je me sentis porté naturellement à lui vouloir du bien » (p. 13). Par cette *finesse* même, le « portrait » de des Grieux ressemble à celui de Manon.

pour l'autre. Les artistes qui ont eu à illustrer le roman ont bien saisi ce trait, comme on en peut juger par les planches XI à XIV et les planches XXIII, XXVI, XXXIII de l'édition Garnier, par exemple.

*En un sens, on peut dire que si des Grieux et Manon ne peuvent accéder à la plénitude de l'amour, c'est parce que leur créateur n'a pas voulu, ou n'a pas su, leur prêter une sexualité adulte*[192]*. Ce ne sont pas des enfants précoces, mais des adolescents immatures.*

Immaturité, indifférenciation : dans leur cas, c'est tout un. Au niveau de la représentation, cela produit trois scènes également remarquables. La plus charmante est dans l'épisode du Prince italien. Elle se fonde sur le fait que des Grieux a de longs cheveux d'enfant — ou de femme — avec lesquels Manon aime jouer rêveusement, comme toutes les petites filles : « Elle voulait que mes cheveux fussent accommodés de ses propres mains. Je les avais fort beaux. C'était un *amusement* qu'elle s'était donné *plusieurs fois;* mais elle y apporta plus de soin que je ne lui en avais jamais vu prendre. Je fus obligé, pour la satisfaire, de m'asseoir devant sa toilette, et d'essuyer toutes les *petites* recherches qu'elle imagina pour ma parure. Dans le cours de son travail, elle me faisait tourner souvent le visage vers elle, et s'appuyant des deux mains sur mes épaules, elle me regardait avec une *curiosité avide* [...] » (p. 122).

En dépit de leur ton et de leur couleur (burlesque ici, funèbre là) les deux autres scènes présentent une certaine analogie. L'une se situe au moment de l'évasion de la Salpêtrière (p. 106-109), l'autre au moment de la mort de Manon (p. 199). Dans les deux cas, nous voyons des Grieux se dénuder pour revêtir Manon de ses propres habits. Elle sort de la Salpêtrière avec son justaucorps et sa culotte, et elle passe quelque temps inaperçue en habit d'homme. Le même habit lui sert de lit dans ses derniers moments, puis de linceul : « J'ouvris une large fosse. J'y plaçai l'idole de mon cœur, après avoir pris soin de l'envelopper de tous mes habits, pour empêcher le sable de la toucher » (p. 200). Somme toute, c'est un autre lui-même — comme son *double narcissique* — que des Grieux aurait mis au tombeau.

Je ne prétends naturellement pas tirer du roman les éléments d'une psychanalyse *post mortem* de l'abbé Prévost. Il me suffit de constater qu'il y a un conflit, ou du moins une discordance entre son projet ostensible (donner un « exemple terrible de la force des passions ») et l'ensemble des moyens

---

**192.** Jean Sgard parle très justement d'*amour-enfant :* « On se voit, on s'aime, on s'enfuit ensemble, et l'on vit l'un pour l'autre, sans remords ; c'est un rêve. »

mis en œuvre pour le réaliser dans le roman, c'est-à-dire son style.

L'histoire littéraire traditionnelle, pour une fois, va plus loin que l'analyse structurale du texte. Elle nous apprend en effet qu'au moment de rédiger l'*Histoire du chevalier des Grieux et de Manon Lescaut,* Prévost était hanté par le problème de l'inceste et hésitait à poursuivre la rédaction de *Cleveland,* sans doute parce qu'il reculait devant « la formulation claire » de ce problème. Elle nous apprend aussi que Prévost restait très attaché au souvenir d'une sœur, plus jeune que lui d'un an, morte à l'âge de treize ans, en 1711, la même année que leur mère. « Nous étions, dit-il, à peu près de la même grandeur et de la même portée de raison. Il n'y eut peut-être jamais d'amitié si tendre et si parfaite que la nôtre[193]. »

Je n'en conclurai pas, comme paraît y incliner Jean Sgard, que les rapports entre Prévost, l'*imago* de son père, et le double souvenir de la sœur et de la mère défuntes se reflètent dans le roman, parce que je récuse par principe la théorie mutilante de l'œuvre-reflet. Disons, plus prudemment, que l'ensemble des conflits entre signe et littérarité qui existent à tous les niveaux du texte de Prévost ne peut pas être sans rapport avec sa manière personnelle d'être au monde et de vivre son rapport au monde.

Au reste, si ce postulat est vrai, la conclusion qu'on peut tirer de l'analyse du texte comme « tombeau » de Manon n'intéresse pas seulement la poétique. Elle intéresse aussi l'histoire des idées.

En effet, les « idées » de Prévost ne s'expriment pas seulement dans l'*Avis au lecteur* et dans les discours alternés de des Grieux et de Tiberge sur la Grâce et le Souverain bien. On risque même de se méprendre sur la signification profonde de l'œuvre si l'on s'en tient à son seul aspect idéologique[194]. Car il ressortit au projet ostensible de l'auteur, mais non au système de son œuvre, qui ne se confond pas avec lui et peut même lui être antagoniste. Or dans ce système complexe, la figure de Manon ne se réduit pas à ce que j'en ai dit jusqu'à présent. Pour des Grieux, pour Prévost, Manon est aussi une hypostase de la divinité, et parler de Manon c'est tenir *aussi* un certain discours sur Dieu. On ne peut considérer comme des clichés les expressions métaphoriques qui, dans le texte, renvoient de la créature au Créateur. Mathieu Marais disait de *Manon Lescaut :* « Il n'y a là-dedans

---

**193.** *Mémoires d'un Homme de Qualité,* cités par Jean Sgard, p. 39 ; cf. p. 233, n. 16, à propos de la « mômerie du frère orphelin » dans *Manon Lescaut;* **194.** C'est ce que fait Raymond Picard dans son étude sur la « Signification de *Manon Lescaut* », *ouvrage cité,* p. XCIV-CLVI. Aussi n'y trouve-t-il que ce qu'il y cherche : une tragédie racinienne en prose.

qu'un mot de bon, qu'elle était si belle qu'elle aurait pu ramener l'idolâtrie dans l'Univers[195]. » Bon ou mauvais, Marais a bien vu qu'il était essentiel. Le désir de des Grieux le porte en effet bien au-delà du corps et de l'âme de Manon. Il pourrait dire, comme Claudel : « J'ai connu cette source de soif[196]. » Il le dit d'ailleurs, à sa manière : « Les personnes d'un caractère plus noble peuvent être remuées de mille façons différentes ; il semble qu'elles aient plus de cinq sens, et qu'elles puissent recevoir des idées et des sensations qui passent les bornes ordinaires de la nature » (p. 81). Lorsque des Grieux dit de Manon l'« idole de mon cœur », dans le récit de l'ensevelissement, il donne au mot sa vraie valeur, le mot est un élément du système de l'œuvre. Dans la femme, par la femme, c'est Dieu qui d'un bout à l'autre du roman s'offre et se dérobe à la fois au désir de des Grieux-Prévost. La tragédie ne se résout pas par la mort de Manon. On pourrait même dire qu'elle commence après la mort de Manon, avec la prière de des Grieux : « Je me couchai [...] sur la fosse, le visage tourné vers le sable, et fermant les yeux avec le dessein de ne les ouvrir jamais, j'invoquai le secours du Ciel et j'attendis la mort avec impatience » (p. 201). Ce « secours » — le mot appartient au vocabulaire janséniste —, il en avait parlé autrefois à Tiberge, non sans ironie : « De quel secours n'aurais-je pas besoin pour oublier les charmes de Manon » (p. 93). Mais le Ciel reste muet. Des Grieux est condamné à vivre seul et à ressasser indéfiniment son histoire. Son histoire ? On peut se demander si ce n'est pas celle de Prévost lui-même, écartelé entre le désir éperdu qu'il y ait au Ciel un dieu aimant et digne d'être aimé[197], et la certitude entrevue de *la mort de Dieu*. Si tel était le cas, le thème protéiforme de l'*interdit* qui court à travers le roman nous conduirait au seuil d'un mystère infiniment plus redoutable que celui du corps décomposé de Manon ou celui de l'inceste. On comprend que les autorités aient défendu un ouvrage aussi sacrilège qu'immoral. Mathieu Marais proposa de brûler le livre et l'auteur. N'était-ce pas le châtiment promis aux *athées*[198] ?

---

**195.** Cité dans l'édition de référence, sous le titre « Jugements contemporains », p. CLXIII ; **196.** *Œuvres poétiques,* Paris, Gallimard, Bibliothèque de la Pléiade, p. 245 ; **197.** Il écrivait dans le *Pomponius,* si cet écrit est de lui : « L'amour est si essentiel à la divinité, qu'ôtez l'amour, et il n'y a plus de dieux [...]. Ainsi, aimer, être aimé, selon moi doit faire toute la béatitude de l'homme » (édition de référence, p. XXXII) ; **198.** Cette hypothèse finale n'est qu'une modeste contribution au débat toujours ouvert entre les spécialistes de Prévost sur la religion de l'abbé. Le point le plus récent de la question est dans la thèse de Jean Sgard. Cf., sur la problématique du roman, l'étude de J. Vipper, « Quelques aspects méthodologiques de l'étude de *Manon Lescaut* », dans *Festgabe für Werner Krauss, Beitrage zur französischen Aufklärung und zur spanischen Literatur,* Berlin, Akademie Verlag, 1971.

# JUGEMENTS

## XVIII$^{e}$ SIÈCLE

*A la parution de* Manon, *les critiques sont très sensibles à l'aspect immoral de ce roman, contre lequel ils prononcent souvent une condamnation sans appel, témoins ces jugements contemporains.*

Ce petit livre, qui commençait à avoir une grande vogue, vient d'être défendu. Outre que l'on fait jouer à des gens en place des rôles peu dignes d'eux, le vice et le débordement y sont peints avec des traits qui n'en donnent pas assez d'horreur.

*Journal de la Cour et de Paris,* oct. 1733.

Cet ex-bénédictin est un fou qui vient de faire un livre abominable qu'on appelle l'*Histoire de Manon Lescaut,* et cette héroïne est une coureuse sortie de l'Hôpital et envoyée au Mississipi à la chaîne. Ce livre s'est vendu à Paris et on y courait comme au feu dans lequel on aurait dû brûler le livre et l'auteur, qui a pourtant du style.

Avez-vous lu *Manon Lescaut?* Il n'y a là-dedans qu'un mot de bon, qu'elle était si belle qu'elle aurait pu ramener l'idolâtrie dans l'univers.

Mathieu Marais,
*Lettres,* du 1$^{er}$ et du 8 décembre 1733, *au président Bouhier.*

*Cependant tous les critiques d'alors ne montrent pas un tel pharisaïsme, et certains jugements contemporains révèlent chez leurs auteurs une véritable intelligence de l'œuvre et une grande sensibilité à ses qualités.*

J'ai lu, ce 6 avril 1734, *Manon Lescaut,* roman composé par le père Prévost. Je ne suis pas étonné que ce roman plaise; parce que toutes les mauvaises actions du héros, le chevalier des Grieux, ont pour motif l'amour, qui est toujours un motif noble quoique la conduite soit basse. Manon aime aussi, ce qui lui fait pardonner le reste de son caractère.

Montesquieu,
*Mélanges et fragments inédits.*

Elle [Manon] aime le chevalier des Grieux avec une passion extrême; cependant le désir qu'elle a de vivre dans l'abondance et de briller lui fait trahir ses sentiments [...]. Cet ouvrage découvre tous les dangers du dérèglement [...]. Je ne dis rien du style; il n'y a ni jargon, ni affectation, ni réflexions sophistiques : c'est la nature même qui écrit.

*Le Pour et le Contre*
(journal fondé par Prévost) [1734].

Je n'ai jamais parlé de l'abbé Prévost que pour le plaindre d'avoir manqué de fortune. Si j'ai ajouté quelque chose sur ce que j'ai lu de lui, c'est apparemment que j'ai souhaité qu'il eût fait des tragédies, car il me paraît que la langue des passions est sa langue naturelle.

Voltaire,
*Correspondance* (1735).

Comment, dira-t-on, pouvez-vous mettre tant de prix aux aventures d'une jeune fille et d'un chevalier d'industrie? [...] c'est qu'il y a de la passion et de la vérité, deux choses inappréciables dans tout ouvrage d'invention; c'est que le caractère de Manon est tracé d'après nature; [...] qu'une telle femme est un personnage aussi séduisant dans la nature que dans la réalité; c'est que l'enchantement qui l'environne sous le pinceau de l'écrivain ne la quitte jamais, pas même dans la charrette qui la transporte à l'hôpital; c'est qu'en ce moment Manon semble séparée de ses méprisables compagnes par le prestige qui suit partout la beauté et par cet intérêt qui naît toujours d'une grande passion; c'est que dans ce prodigieux attachement du chevalier, que les fautes et les malheurs de sa maîtresse ne font que redoubler, on ne peut méconnaître cet attrait réciproque qui entraîne et domine à jamais deux créatures nées l'une pour l'autre.

La Harpe,
*Lycée* (1796-1800).

## *XIXe SIÈCLE*

*A l'époque romantique, Manon est admirée sans restriction et suscite de nombreux commentaires; sans doute les interprétations que les critiques d'alors donnent au roman sont-elles discutables. Pour Musset, par exemple, Manon personnifie « la femme » au caractère énigmatique, complexe, pervers et pourtant séducteur, comme il le montre dans ces vers de* Namouna.

Pourquoi Manon Lescaut, dès la première scène,
Est-elle si vivante et si vraiment humaine
Qu'il semble qu'on l'a vue, et que c'est un portrait?
.......................................
Manon! sphinx étonnant! véritable sirène!
Cœur trois fois féminin, Cléopâtre en paniers!
Quoi qu'on dise ou qu'on fasse, et bien qu'à Sainte-Hélène
On ait trouvé ton livre écrit pour des portiers,
Tu n'en es pas moins vraie, infâme, et Cléomène
N'est pas digne, à mon sens, de te baiser les pieds.

Tu m'amuses autant que Tiberge m'ennuie.
Comme je crois en toi! Que je t'aime et te hais!
Quelle perversité! Quelle ardeur inouïe
Pour l'or et le plaisir! Comme toute la vie
Est dans tes moindres mots! Ah! folle que tu es!
Comme je t'aimerais demain, si tu vivais!

Musset,
*Namouna* (1832).

*Sainte-Beuve consacre à l'abbé Prévost des articles dans lesquels il apprécie le naturel et la vérité de la peinture des passions dans* Manon :

*Manon Lescaut* subsiste à jamais, et, en dépit des révolutions du goût et des modes sans nombre qui en éclipsent le vrai règne, elle peut garder au fond sur son propre sort cette indifférence folâtre et languissante qu'on lui connaît. Quelques-uns, tout bas, la trouvent un peu faible peut-être et par trop simple de métaphysique et de nuances; mais quand l'assaisonnement moderne se sera évaporé, quand l'enluminure fatigante aura pâli, cette fille incompréhensible se retrouvera la même, plus fraîche seulement par le contraste.

Sainte-Beuve,
*Portraits littéraires* I (1831).

*Pour Flaubert, comme pour Maupassant, c'est également la vérité et la vie dans la peinture des sentiments qui font la valeur de ce roman,*

Ce qu'il y a de fort dans *Manon Lescaut,* c'est le souffle sentimental, la naïveté de la passion qui rend les deux héros si vrais, si sympathiques, si honorables, quoiqu'ils soient des fripons. C'est un grand cri du cœur, ce livre; la composition en est fort habile; quel ton d'excellente compagnie!

Gustave Flaubert,
*Correspondance* (1861).

Combien d'autres romans, de la même époque, écrits avec plus d'art peut-être, ont disparu! Seule cette nouvelle immorale et vraie, si juste qu'elle nous indique à n'en pouvoir douter l'état de certaines âmes à ce moment précis de la vie française, si franche que l'on ne songe même pas à se fâcher de la duplicité des actes, reste comme une œuvre de maître, une de ces œuvres qui font partie de l'histoire d'un peuple.

Guy de Maupassant,
*Préface* pour l'édition Tallandier (1885).

## XXe SIÈCLE

*La critique récente est féconde sur le roman de l'abbé Prévost, dont les personnages sont l'objet d'interprétations de plus en plus diverses et complexes et dont le style est très admiré :*

La littérature n'est pas faite pour prêcher, mais pour enseigner les hasards de la vie et sa complexité [...]. L'auteur de *Manon Lescaut,* voulant d'abord conter une anecdote touchante et curieuse, a réussi d'un seul coup à révéler aux hommes une part essentielle et permanente de leur âme, l'inconscience de la honte et l'attachement au malheur.

André Thérive,
*Introduction* pour l'édition Payot (1926).

La grandeur de *Manon,* ce qui la sauve d'être comme *les Liaisons dangereuses* le chef-d'œuvre des livres de deuxième classe, c'est la rafale parisienne qui roule cette étonnante histoire d'un parloir de séminaire jusqu'à la tombe que des Grieux creuse de ses propres mains. C'est l'amour qui ne se mélange pas à la crapule et couvre les personnages de cet enduit des plumes de cygne, enduit grâce auquel le cygne barbote dans l'eau sale sans s'y salir.

Jean Cocteau,
*Manon,* dans la *Revue de Paris,* octobre 1947.

Une harmonieuse unité de ton se trouve [...] créée, qui rappelle la fluidité de Télémaque. Tout s'affine et se perd dans cette phrase si rapide et si légère, qu'elle sait rapporter les paroles en discours direct avec la même vivacité d'allures que les véritables propos. L'amour a littéralement donné des ailes à la prose déjà facile de notre abbé.

H. Roddier,
dans *l'Abbé Prévost, l'homme et l'œuvre,* Hatier, 1955.

# SUJETS DE DEVOIRS ET D'EXPOSÉS

## NARRATIONS

● Des Grieux, au cours du dîner où il se joue avec Manon du vieux G... M..., a pu, nous dit-il, raconter à celui-ci sa propre histoire sans qu'il se reconnaisse. Imaginez son récit.

● Histoire de Manon enfant.

● Prévost dit qu'avant de s'embarquer pour l'Amérique des Grieux écrivit à Tiberge une lettre si touchante qu'elle le décida à partir lui aussi pour la Louisiane. Composez cette lettre.

## EXPOSÉS ET DISSERTATIONS

● Paris dans *Manon Lescaut.*

● L'Amérique dans *Manon Lescaut.*

● La question d'argent dans *Manon Lescaut.*

● Place de *Manon Lescaut* dans l'histoire du roman.

● Des Grieux et le héros romantique.

● Peut-on dire, avec Barbey d'Aurevilly, que « Prévost est un « plat chronique », que son style n'est qu'un « verre d'eau claire jamais chauffé, même au bain-marie, par la passion de son auteur »?

● Cette interprétation de L. Cellier vous paraît-elle bien éclairer le sens du personnage de Manon : « Manon est celle qui paie pour l'homme, qui est sacrifiée à sa place et le rachète par son immolation : c'est parce que Manon meurt que des Grieux revient dans la voie du salut. Étonnante énigme! Cette figure ravissante cachait une goule et voici que la goule s'avère un ange gardien [...], et cette ambiguïté nous fait pénétrer dans le domaine du sacré »?

● Appréciez, en étudiant la structure de *Manon,* la justesse de ce « mot » de Cocteau à propos de ce roman : « Le fil rouge de la tragédie reste tendu d'un bout à l'autre de cette œuvre légère et lui donne sa noblesse profonde. »

● Commentez et discutez cette affirmation de Flaubert, qui, après avoir fait l'éloge de *Manon,* ajoute cependant : « [...] mais moi j'aime mieux les choses plus épicées, plus en relief, et je crois que tous les livres de premier ordre le sont à outrance. Ils sont criants de vérité, archidéveloppés et plus abondants de détails intrinsèques au sujet. »

● Un critique contemporain, Mme Éliane Engel, note : « Avec les deux héros de l'abbé, surtout avec Manon, on dépasse le niveau des personnages de roman célèbres; on atteint au type éternel, qui vit presque de sa propre vie. » Commentez, discutez.

# TABLE DES MATIÈRES

Pages




Mame Imprimeurs - 37000 Tours.

Dépôt légal Juillet 1973. – N° 21854. – N° de série Éditeur 14909.

IMPRIMÉ EN FRANCE *(Printed in France).* – 870 134 G Janvier 1989.